La maîtresse d'école

Catalogage avant publication de Bibliothèque et Archives nationales
du Québec et Bibliothèque et Archives Canada

Toussaint, Ismène
La maîtresse d'école : les voix de la plaine
ISBN 978-2-89585-688-7
I. Titre.
PS8639.O988M34 2015   C843'.6   C2015-941130-0
PS9639.O988M34 2015

Les Éditeurs réunis bénéficient du soutien financier de la SODEC
et du Programme de crédit d'impôt du gouvernement du Québec.

Nous remercions le Conseil des Arts du Canada
de l'aide accordée à notre programme de publication.

Financé par le gouvernement du Canada
Funded by the Government of Canada

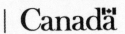

Édition :
LES ÉDITEURS RÉUNIS
www.lesediteursreunis.com

Distribution au Canada :
PROLOGUE
www.prologue.ca

Distribution en Europe :
DNM
www.librairieduquebec.fr

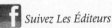 *Suivez Les Éditeurs réunis sur Facebook.*

Imprimé au Canada

Dépôt légal : 2015
Bibliothèque et Archives nationales du Québec
Bibliothèque nationale du Canada
Bibliothèque nationale de France

ISMÈNE TOUSSAINT

La maîtresse d'école

LES ÉDITEURS RÉUNIS

De la même auteure

Essais, témoignages et portraits

Gabriel Dumont, Souvenirs de résistance d'un immortel de l'Ouest, Québec, Éditions Cornac, 2009 (avec Denis Combet).

Gabrielle Roy et le nationalisme québécois, Montréal, Éditions Lanctôt, 2006.

Louis Riel, Journaux de guerre et de prison, suivis de *Chronologie métisse 1604-2006*, Montréal, Éditions internationales Alain Stanké, 2005.

Les chemins retrouvés de Gabrielle Roy, Témoins d'occasions au Québec, Montréal, Éditions internationales Alain Stanké, 2004.

La littérature de l'Ouest canadien, Trois siècles d'écriture, dans *L'encyclopédie du Canada 2000*, Montréal, Éditions internationales Alain Stanké, 2000 (collectif) ; et dans *L'action nationale*, Montréal, hiver 2001 (Prix André-Laurendeau).

Portraits d'auteurs et de personnages historiques québécois, canadiens-français et métis, dans *L'encyclopédie du Canada 2000*, Montréal, Éditions internationales Alain Stanké, 2000 (collectif).

Louis Riel, Le bison de cristal, Montréal, Éditions internationales Alain Stanké, 2000 (Plume d'aigle métisse du Manitoba).

Les chemins secrets de Gabrielle Roy, Témoins d'occasions, Montréal, Éditions internationales Alain Stanké, 1999 (sélection de la Maison de la Presse internationale).

Traduction et adaptation

Les réfugiés, roman de Sir Arthur Conan Doyle, Montréal, Éditions internationales Alain Stanké, 2003.

Visitez les sites web de l'auteure :

www.ismenetoussaint.ca

www.ismenetoussaint.com

www.louisriel.org

À mes grands-mères, Laurence Cavan-Geffroy et Berthe Toussaint-Poirier,
qui étaient maîtresses d'école à la même époque que Gabrielle

À monsieur Méar,
mon inoubliable instituteur à l'école du Créac'h, en Bretagne

À feu mes amis Philippe Cardinal,
petit-fils du fondateur du village de Cardinal, au Manitoba,
et Irène Crites-Danais, agricultrice dans la même commune

Note au lecteur

Cet ouvrage est un roman. Par conséquent, s'il s'inspire de la vie de la romancière Gabrielle Roy (1909-1983), il prend aussi des libertés avec elle et mêle des faits et des personnages réels à des faits et des personnages imaginaires.

Les lecteurs désireux de connaître sa véritable histoire, pourront se reporter à son autobiographie, *La détresse et l'enchantement*, suivie de *Le temps qui m'a manqué*, ainsi qu'aux livres et aux biographies ayant paru depuis sa disparition. Par ailleurs, je les invite à découvrir deux de mes ouvrages, *Les chemins secrets de Gabrielle Roy* et *Les chemins retrouvés de Gabrielle Roy*, qui ont donné la parole aux témoins de son existence. Ils y retrouveront en outre plusieurs personnes devenues des personnages dans le présent roman.

I.T.

1

— Eh bien, Gabrielle, as-tu réfléchi à ton avenir ? As-tu fait le choix de ta future profession ?

Adèle fixait sa benjamine de ses yeux noirs et perçants. L'institutrice de trente-cinq ans se tenait très droite dans un fauteuil de bois, raidie dans sa veste et sa longue jupe noire élimées, et dans ses bottines poussiéreuses à l'avenant, dont l'extrémité rebiquait vers le plafond. Son visage jaune aux joues creusées et ses lèvres étirées en un pli dur trahissaient la lassitude et les épreuves qu'endurait depuis une dizaine d'années cette incorrigible itinérante, en enseignant d'un village à l'autre dans les immenses territoires de la Saskatchewan et de l'Alberta.

— Coiffeuse ? Sténodactylo ? Ou bien peut-être vendeuse ? railla l'aînée, Anna, en se renversant contre le dossier du canapé.

À l'opposé de la femme qui prenait place devant elle, cette coquette dans la quarantaine exhibait une robe coquelicot, que rehaussaient un piquant petit chapeau noir, des bijoux et des souliers à talons hauts de la même teinte. Mais son rouge à lèvres violent parvenait mal à masquer sa bouche mesquine et amère. Ancienne institutrice ayant exercé au Manitoba, elle

avait très vite abandonné son métier pour épouser un menui-
sier-charpentier, Albert Painchaud, dans l'espoir de mener
une vie facile et aisée. Mais l'existence harassante de femme
de colon que lui avait imposée cette union et trois maternités successives avaient eu raison de ses rêves de grandeur.
Aujourd'hui, elle tentait de les enfouir au plus profond d'elle-
même tout en jouant les séductrices.

— Allons, allons, cesse de dire des bêtises, Anna, ces
occupations n'ont rien de déshonorant, la reprit Bernadette,
une religieuse de trente ans à qui ses interlocutrices avaient
cédé par déférence le fauteuil le plus confortable de la pièce.
Et Gabrielle est bien assez grande pour nous exposer sa
préférence.

Son habit austère de sœur des Saints Noms de Jésus et de
Marie contrastait avec son apparence fragile et son doux
visage ovale, aux paupières modestement baissées. Peu attirée
par le monde et par les tâches domestiques, elle était entrée
dans les ordres au début de la vingtaine, sous le nom de sœur
Léon-de-la-Croix. Elle aussi avait embrassé une carrière
d'institutrice, qu'elle poursuivait à présent avec bonheur à
Kenora, une petite ville du nord de l'Ontario.

En cette fin de journée d'été 1928, les quatre sœurs Roy
étaient réunies dans le salon d'allure bourgeoise de la demeure
familiale, sise à Saint-Boniface, le cœur canadien-français
du Manitoba. Leurs parents, Léon Roy et Mélina Landry,

avaient convoqué les trois premières à un conseil de famille qui devait décider du futur de la benjamine, une brillante finissante de l'Académie Saint-Joseph qui tardait à leur faire connaître ses intentions.

Un peu intimidée en face de ses aînées, cette dernière se tortillait de nervosité sur son tabouret, portant de temps en temps ses doigts effilés à sa bouche. C'était une superbe jeune fille de dix-neuf ans, dont les cheveux blond roux tombaient en cascade sur ses épaules. Son teint hâlé faisait ressortir ses grands yeux bleu vert, ses traits fins et ses dents éclatantes. Elle portait une robe de cotonnade blanche, dont la ceinture bleu azur ornée d'un gros nœud de la même couleur soulignait la taille mince et fine.

— Alors, Gabrielle, la relança Adèle avec sévérité, tu nous réponds?

Avec une tranquille assurance, que ne laissait pas présager son embarras, l'intéressée plongea son regard mi-rêveur mi-résolu dans les yeux de sa sœur:

— Je veux être écrivaine, déclara-t-elle.

Un silence à la fois interdit et consterné accueillit ces paroles.

Mais le premier moment de stupéfaction passé, Adèle explosa de rage:

— Écrivaine! Écrivaine! hurla-t-elle en se dressant d'un bond. Avoir fait un voyage de plus de douze cents milles depuis le nord de l'Alberta pour entendre cela! Non, ce n'est pas possible! Mais ma petite, poursuivit-elle en pointant Gabrielle d'un index accusateur, tu ne t'imagines tout de même pas devenir écrivaine parce que tu as toujours été la première en composition française et que tu as remporté quelques malheureuses médailles aux concours de fin d'année scolaire? Pour qui te prends-tu?

— A-t-on entendu chose plus ridicule? renchérit Anna en haussant les épaules.

— Pour l'amour du ciel, mes sœurs, calmez-vous, calmez-vous! les interrompit Bernadette d'une voix autoritaire que l'on n'eût jamais soupçonnée chez une personne d'aussi frêle stature. Toi, Adèle, rassois-toi! Nous ne sommes pas venues ici pour nous disputer. C'est vrai, Gabrielle, tu n'es pas raisonnable, ajouta-t-elle en se radoucissant, mais rappelez-vous, mes sœurs, n'avons-nous pas eu nous-mêmes des rêves à son âge?

Un nouveau silence s'installa. Une ombre de regret, comme venue d'un lointain passé, voilait à présent le regard des trois femmes.

— Des rêves… oui, nous avons eu, nous aussi, des rêves d'écriture, soupira Adèle, qui, soudain calmée, s'était laissée choir dans son fauteuil. Mais moi… j'avais du talent, tandis que Gabrielle…

— Mais j'écris depuis que je suis toute petite ! protesta cette dernière.

— Nous le savons, coupa la bouillante institutrice, mais cela ne veut rien dire.

Et, poursuivant comme pour elle-même :

— J'avais… j'ai toujours du talent et d'ailleurs, je n'ai pas renoncé.

Puis, se tournant vers sa sœur aînée :

— Toi aussi, Anna, tu écrivais bien… tes lettres, tes nouvelles…

— Oui, rétorqua celle-ci, laconique.

Visiblement émue, elle affectait de se perdre dans l'examen de ses ongles vernis.

— Et toi aussi, Bernadette, tout ce que tu écris est original, plein de délicatesse et de sensibilité ! s'exclama Gabrielle. Tes lettres sont toujours agrémentées de descriptions poétiques de la nature.

— Nous voulions toutes les trois écrire, avoua sœur Léon-de-la-Croix, les paupières mi-closes sur ses souvenirs. Mais nos prétentions se sont limitées à des compositions françaises, des lettres, des publications d'articles et de contes dans le bulletin de l'Académie Saint-Joseph ou dans les journaux locaux. Que pouvions-nous espérer de plus?

— Pour écrire, il faut une fortune personnelle, fit observer Anna, qui ne manquait jamais une occasion pour parler d'argent, et des relations pour publier dans une maison d'édition. Des relations au Québec, par exemple, ce qui est loin d'être ton cas, Gabrielle.

— Et il faut aussi beaucoup de volonté! précisa Adèle. Or toi, Gabrielle…

— C'était un rêve hors de notre portée, enchaîna la religieuse, coupant court à toute critique. Et puis nous étions des femmes, nous avons été éduquées dans le dessein de nous marier, d'avoir des enfants et de prendre soin d'une famille. C'est aussi ce que je tâche d'inculquer aujourd'hui à mes élèves.

— Ah, ça, c'est bien une remarque de bonne sœur! persifla Adèle. Demande donc à Anna ce qu'elle pense du mariage et des marmots…

— Ça suffit! s'écria l'ancienne enseignante, je n'ai pas envie de parler de cela et d'ailleurs, j'aime mes enfants. Et puis, ajouta-t-elle comme pour s'en persuader elle-même, les choses ne vont pas si mal que cela depuis qu'Albert nous a construit cette belle maison à Saint-Vital, au bord de la rivière Assiniboine. En tout cas, toi, Bernadette, c'est sans doute pour mettre tes beaux principes en pratique que tu es entrée dans les ordres…

— Un peu de respect, mes sœurs, répliqua Bernadette, piquée au vif. Quoi qu'il en soit, nous étions trop pauvres pour envisager une carrière dans la littérature et c'est pourquoi nous avons dû choisir un métier. Je ne dis pas cela pour t'embêter, Gabrielle, mais ton devoir est de faire de même pour soulager nos parents. Pense à notre père, il a soixante-dix-huit ans, il a travaillé très dur pour élever notre nombreuse famille. Notre-Seigneur a bien placé sur sa route le premier ministre Wilfrid Laurier, qui lui a offert un poste de fonctionnaire au ministère de l'Immigration, mais tu sais bien qu'on l'a mis prématurément à la retraite il y a quatorze ans, et cela, sans solde. Depuis tout ce temps, maman s'épuise en travaux de couture, de buanderie, et en gardes de bébés pour parvenir à joindre les deux bouts. De plus, songe à notre sœur Clémence, cette éternelle enfant : bien qu'elle ait trente-trois ans, elle restera toujours à leur charge, elle est incapable de faire autre chose qu'aider maman dans ses tâches quotidiennes. Bien sûr, nos parents ont cette belle maison dont tu as bien profité jusqu'à maintenant, mais comment et jusqu'à quand pourront-ils la conserver ?

— Oui, nos parents se sont saignés aux quatre veines pour te payer tes études et te permettre de les poursuivre dans les meilleures conditions, commenta encore Adèle. Et toi, tu voudrais leur faire de la peine et les décevoir en embrassant une situation qui ne t'apportera que des désillusions. Même à supposer qu'un jour tes livres aient du succès – j'en doute fort, mais admettons –, ils te rapporteraient à peine de quoi survivre. Tu cours après des chimères, Gabrielle, il est temps de revenir sur terre. Tu dois te conformer à nos attentes et gagner ta vie, entends-tu ?

— Gagner ma vie ! Gagner ma vie ! reprit la plus jeune, la mine boudeuse. Comme c'est mesquin ! Et comme tu es mesquine, Adèle ! Tu juges tout à l'aune du rendement ! Mais j'ai quand même le droit de faire ce qui me plaît, non ?

L'orage était sur le point d'éclater de plus belle lorsque la voix stridente de Mélina Roy-Landry appela depuis la cuisine :

— À table, le souper est prêt !

— On arrive, maman ! répondit Anna. Bon, je m'en vais fumer une cigarette sur la galerie et je vous rejoins.

— Nous réglerons cette affaire avec nos parents, conclut Adèle en fusillant la benjamine du regard.

Le petit groupe traversa la cuisine, que la maîtresse de maison mettait un point d'honneur à garder d'une étincelante propreté, pour se rendre dans la cuisine d'été. Clémence achevait de disposer les plats sur une table de jardin que Léon Roy avait fabriquée dans un bois grossier. La jeune handicapée mentale, avec son dos voûté, ses yeux apeurés où vacillait une lueur d'égarement et son nez pointu, ressemblait déjà à une petite vieille.

— Au menu, y'a d'la salade de chou, d'la purée d'pommes de terre et d'carottes, et des fraises au sucre et à la crème, comme vous les aimez, annonça joyeusement Mélina en se frottant les mains sur son tablier. Tout vient du jardin de vot' père.

C'était une robuste femme dont les cheveux noirs, séparés par une raie et tirés en chignon, étaient parsemés de fils d'argent. Quelques mèches folles s'en échappaient çà et là. À soixante ans révolus, elle avait conservé sa beauté, mais ses traits tirés et sa taille épaisse portaient la marque de son labeur et de ses nombreuses maternités.

Tout à coup, la porte donnant sur l'arrière-cour s'ouvrit pour livrer passage à un vieil homme en manches de chemise, presque chauve et les épaules affaissées. Ses yeux et son visage creux exprimaient la tristesse et une extrême lassitude. Sans un regard pour quiconque, il rabattit ses bretelles sur son pantalon noir rapiécé et se mit à table tandis que les quatre jeunes femmes se levaient et se rasseyaient en signe de respect.

— Bonsoir, père ! firent-elles à l'unisson.

— Bonsoir, mes filles ! répondit Léon Roy d'une voix taciturne.

Anna s'étant glissée parmi les convives, Bernadette récita le bénédicité puis, de la pointe de son couteau, le père de famille traça un signe de croix sur le pain avant de le partager. Le repas débuta dans un silence troublé seulement par le cliquetis des couverts.

Ce fut Mélina qui, la première, prit la parole.

— Pis, les filles, de quoi est-ce que vous avez parlé? On vous entendait vous chicaner depuis l'aut' bord d'la maison! On vous avait dit d'abord de venir pour discuter du sort de not' Gabrielle. Alors, qu'est-ce que t'as décidé d'faire dans la vie, mon enfant? Mais pourquoi est-ce que t'es si rouge et que tu fais c'te figure-là?

— Ah, parlons-en, maman! se plaignit Adèle avec fausseté, figurez-vous que mademoiselle veut être écrivaine!

La ménagère poussa une exclamation de surprise, mais sans manifester le moindre reproche.

— Écrivaine! Tiens don! Ma foi, j'suis loin d'avoir fait autant d'études que vous aut' et j'sais pas c'qu'y faut faire pour devenir écrivaine mais y m'semble, enfin, y m'semble que c'est un métier très difficile. Y faut sans doute avoir beaucoup lu et vécu avant d'trouver une phrase originale, un mot juste ou une belle image. Pis, c'est un métier ben solitaire.

— C'est surtout un métier d'crève-la-faim, grogna le père, sortant de son mutisme.

Adèle sauta sur l'occasion pour jeter une once de fiel :

— Voilà ce que je me tuais à lui expliquer tantôt, mais cette tête de linotte ne veut rien entendre. Et puis tout cela est de votre faute, la mère, c'est vous qui lui avez monté la tête depuis son enfance avec tous vos contes de bonne femme !

— Adèle, on ne parle pas de cette façon à notre mère, la sermonna sœur Léon-de-la-Croix, et les contes font partie de notre héritage français. Il nous appartient de les transmettre de génération en génération si nous voulons conserver notre culture au Canada anglais.

— Et puis il n'y a pas à dire, vous l'avez mal élevée, poursuivit l'impétueuse enseignante en ignorant la remontrance de sa sœur, vous en avez fait une enfant gâtée. Vous lui passez tous ses caprices, lui achetez tout ce qu'elle exige, lui cousez les plus belles robes et lui fabriquez les plus beaux chapeaux. Je suis certaine qu'elle était l'élève la mieux habillée de l'école. Vous ne l'avez jamais obligée à vous aider et elle ne sait rien faire de ses dix doigts. Est-il normal que ce soit encore Clémence qui fasse son lit, balaye sa chambre et ramasse tout ce qu'elle laisse traîner par terre ? Des emballages de bonbons, des épingles, son linge de corps, ses bas. Qu'a-t-elle fait de son été, sinon sortir, s'amuser avec ses amis ou se prélasser dans sa chambre ? Pas étonnant qu'elle se comporte en princesse, ne nous écoute pas et n'en fasse qu'à sa tête ! Il faut que cela cesse et que nous prenions des mesures sans plus tarder.

Un coup de poing brutalement asséné sur la table mit fin à ce réquisitoire, faisant sursauter les hôtes. Clémence se recroquevilla sur sa chaise en roulant des yeux effarés.

— Silence, Adèle ! ordonna le père de famille. Tu manques d'respect à ta mère pis en plus, t'es injuste. Puis, baissant le ton pour s'adresser à Gabrielle : tsé, Petite Misère – c'était le surnom qu'il lui avait attribué dans son enfance en raison de sa constitution chétive –, j'te reprocherai jamais l'pain que tu manges à not' table, mais tu vas quand même pas faire comme tes chenapans d'frères ! Joseph, y a quarante et un ans astheure pis y a laissé tomber l'agriculture pour vagabonder comme un quêteux. Rodolphe, y fait encore les quatre cents coups à vingt-neuf ans pis ça nous fait honte dans tout Saint-Boniface…

— T'exagères, Léon, corrigea Mélina, qui ne supportait pas la moindre remarque à l'encontre de son fils préféré, Rado a été chef de gare pis y nous envoie toujours d'l'argent quand y trouve à s'engager. Et Germain, y est quand même instituteur en Saskatchewan…

— P't-êt' ben, p't-êt' ben, bougonna son époux, n'empêche qu'à vingt-six ans, y est toujours aussi ingrat : y a même pas répondu à not' convocation au sujet d'la Misère et on aurait ben besoin qu'y nous envoie d'temps en temps un peu d'argent.

— L'argent, encore l'argent, toujours l'argent! se fâcha à son tour Gabrielle, vous n'avez que ce mot-là à la bouche dans cette famille!

— Oui, l'argent, répéta le vieux pionnier, tu pourras jamais rien faire sans, Gabrielle. J'sais c'que c'est que d'manquer d'argent, moé: mes parents, y m'ont plus souvent nourri d'taloches et d'coups d'pied au derrière que d'plats chauds. Tout ça parce que la terre d'nos ancêtres, à Saint-Isidore-de-Rochester, au Québec, donnait rien que des cailloux et des racines noires. À treize ans, mon père m'a flanqué à la porte et à ton âge, Petite Misère, j'avais déjà fait tous les métiers: commis d'magasin, marchand ambulant, guide-forestier, tenancier d'un restaurant en Nouvelle-Angleterre…

— On connaît la suite, l'interrompit sa femme, t'es venu à Saint-Alphonse, au Manitoba, pis tu m'as rencontrée. Ça valait-y pas la peine de rouler ta bosse? demanda-t-elle en éclatant de rire, car à l'opposé de son mari, elle était toujours portée à voir le bon côté des choses. Au début, ç'a été difficile, ben sûr, mais t'es pas resté longtemps agriculteur, t'es devenu propriétaire d'un magasin général et d'un hôtel. Pis ton poste d'agent d'colonisation nous a permis d'fonder not' belle p'tite famille, pis d'faire construire la belle maison où on dormira tous sur nos deux oreilles à soir.

— J'donnerais tout pour retrouver ma fonction et t'offrir une meilleure vie, ma bonne, soupira le pauvre homme.

Et, sentant monter en lui un peu cette verve qui l'avait caractérisé par le passé :

Ah, c'était l'bon temps avec tous ces voyages pour visiter mes braves colons ! Que d'beaux souvenirs ! Tenez, un jour, à Steinbach, la colonie mennonite de not' province…

— Bon, Léon, tu nous raconteras ton histoire une aut' fois, le rabroua la maîtresse de maison. Pendant qu'vous vous chamailliez pis qu'Adèle me reprochait l'éducation d'Gabrielle, j'ai réfléchi à queq' chose pour elle : dis-moi, Gaby, ça t'plairait pas d'devenir institutrice comme tes sœurs ?

— Moi, institutrice, maman ?

— Mais oui, pourquoi pas ? T'es intelligente pis cultivée, la directrice de l'Académie Saint-Joseph, sœur Marie-Diomède, m'a dit que t'adorais faire des exposés et réciter des poèmes en classe. Pis quand j'suis venue à tes remises de médailles, j'ai ben vu que t'as jamais eu peur de parler en public.

Gabrielle baissa le nez dans son assiette.

— Eh ben, insista Mélina, t'es pas fière d'la réussite de tes sœurs ?

— Si, bien sûr, mais…

— T'aimes pas les enfants p't-êt'?

— Je ne sais pas. Enfin si, je crois, mais...

— Eh ben alors! Oh, je serais si heureuse que ma p'tit' dernière devienne enseignante, elle aussi! Pas toé, Léon?

Le vieil homme acquiesça du menton.

— Moé, j'trouve que c'est une profession idéale pour une femme, surenchérit la maîtresse de maison, c'est digne et noble. Ça demande beaucoup d'patience pis d'travail, pour sûr, mais ça permet aussi d'avoir des loisirs, des vacances...

— Hum, c'est vrai qu'elle présente certains attraits et avantages, émit Gabrielle du bout des lèvres, mais...

— Qu'est-ce qu'elles pensent de ça, tes sœurs?

— Maman, c'est la chose la plus sensée que j'ai entendue depuis mon arrivée ici, admit Adèle. Pardonnez-moi pour tout à l'heure et au fait, votre repas est délicieux. Cependant, contrairement à ce que vous imaginez, l'enseignement est loin d'être la profession idéale. Voyez, moi, je me heurte sans cesse à des élèves indisciplinés, des colons grossiers et ingrats, une commission scolaire et des curés bornés.

— Ne dis pas de mal de nos bons pères, la réprimanda la nonne, ils font ce qu'ils peuvent avec le peu de moyens dont ils disposent. Reconnais plutôt que ton caractère ne te rend pas service, ma pauvre Adèle!

— Pis toé, qu'est-ce que t'en penses, Anna? questionna la mère.

— L'inconvénient, c'est qu'on est le plus souvent envoyé dans des trous, répondit l'aînée, qui se rappelait avoir failli mourir d'ennui dans les deux petits villages manitobains où elle avait professé. Et puis il y a déjà quatre instituteurs dans la famille, trois si l'on m'excepte: cela fait beaucoup. Mais puisqu'on ne peut rien tirer de Gabrielle...

— Maman, c'est une excellente idée, trancha sœur Léon-de-la-Croix, impatiente de mettre fin à des palabres qui duraient depuis plus de deux heures. Il n'existe pas de plus beau métier au monde. Et instruire ces chères têtes blondes dans nos valeurs de moralité, de beauté et de respect de la survivance de notre race française contribue à l'élévation de notre âme.

— Au fait, si je ne m'abuse, Gabrielle, relança Anna d'un ton aigre, l'Association d'éducation des Canadiens français du Manitoba met une bourse de cent dollars à la disposition des lauréates du concours provincial annuel de français pour financer leurs études supérieures. Puisque tu l'as été deux fois, tu vas donc pouvoir t'inscrire à l'École normale de Winnipeg dès la rentrée. Tu es bien chanceuse!

Mélina en profita pour revenir à la charge:

— Alors Gabrielle, c'est oui? J'aurais tant voulu être institutrice, moé-même! S'il vous plaît, Gaby… tu verras, ces études, ça durera pas plus long qu'une année, tu pourras encore rester à la maison avec nous aut', pis après, tu voleras d'tes propres ailes. Tu l'regretteras pas.

— D'accord, d'accord! convint Gabrielle en secouant la tête, excédée. Mais c'est bien pour vous faire plaisir, maman. Quoi qu'il en soit, je crois bien que je n'ai pas le choix: depuis le début, vous êtes tous ligués contre moi, vous me harcelez, je n'en peux plus.

À la surprise générale, elle enfouit son visage dans ses mains et fondit en larmes.

— M'enfin, pantoute, Gabrielle! protesta sa mère. Nous voulons que ton bien, tous autant qu'nous sommes icitte. Pleure pas, voyons. Allez, mange tes fraises, elles sont succulentes.

— Non! hurla soudain la jeune fille en repoussant son assiette et en se levant brusquement de table. J'accepte vos exigences, c'est dit, mais jamais vous ne m'empêcherez de faire ce que je veux, jamais! Et ce que je veux, c'est être écrivaine, m'entendez-vous? écrivaine, écrivaine!

Et devant l'assemblée au comble de la stupeur, elle s'enfuit en sanglotant, monta quatre à quatre l'escalier de la demeure et se jeta sur son lit après avoir violemment claqué la porte de sa chambre.

2

Assise à son pupitre, près de la lucarne de la petite chambre qu'elle s'était aménagée, encore adolescente, dans le grenier, Gabrielle travaillait à la nouvelle qu'elle avait commencé à écrire au cours des vacances dans un petit cahier d'écolière rouge. Afin de se sentir plus à l'aise en cette brûlante fin de journée d'août, elle avait enfilé une marinière de serge bleue à grand col blanc, assortie d'une jupe légère de la même couleur.

Inspirée de l'enfance de sa mère, son histoire racontait l'épopée, embellie et idéalisée, de la famille Landry, des agriculteurs pauvres de Saint-Alphonse-de-Rodriguez, au Québec, qui avaient tout quitté à la fin du XIXe siècle pour répondre à l'appel de la Société de colonisation, laquelle leur avait promis de riches terres à blé dans l'Ouest canadien. En ce temps-là, la ligne du chemin de fer menant au sud du Manitoba s'arrêtait à Saint-Norbert, près de Winnipeg, la capitale ; aussi les immigrants avaient-ils dû poursuivre leur périple jusqu'à Saint-Léon, leur destination, dans un chariot bâché et tiré par des chevaux. Mélina, qui alors n'avait pas encore quatorze ans, avait retiré une telle joie de cette expérience qu'elle en était restée marquée pour le reste de sa vie.

Cependant, l'apprentie écrivaine étant tombée en panne d'idées pour décrire une scène, elle raturait nerveusement ses phrases, puis suçotait son porte-plume durant de longues minutes, dans l'attente d'une hypothétique aide du ciel.

Plusieurs jours s'étaient écoulés depuis la dispute qui l'avait opposée aux membres de sa famille. La crise s'était dénouée grâce aux talents de diplomate de sa mère et ses sœurs avaient désormais regagné chacune leurs demeures. Gabrielle leur avait même écrit pour les remercier de leur visite et leur présenter ses respects, mais n'avait plus fait la moindre allusion à ses ambitions littéraires.

La jeune fille poussa un soupir de découragement, écarta son cahier et ouvrit la lucarne, où elle s'accouda, pensive, le menton entre les mains. Le parfum des roses, des lys blancs de la Vierge et des œillets pourpre que Léon Roy avait plantés avec amour tout autour de la demeure familiale montait par bouffées jusqu'à elle. Bâtie à l'angle des rues Des Meurons et Deschambault, c'était une grande maison de bois peinte en jaune, de style *four square*, aux innombrables fenêtres. Elle était flanquée de deux pignons et chapeautée d'un toit en croupe, à la manière des résidences québécoises. Une galerie à colonnettes blanches, ombragée par trois petits pommiers, des pruniers et des cerisiers, courait le long de la façade et du mur est, qui bordait la rue Des Meurons.

En se penchant, Gabrielle put y apercevoir quelques automobiles et voitures à cheval croiser de nombreux passants : des couples d'amoureux bras dessus bras dessous, des bandes de jeunes filles rieuses dans leur coquette robe d'été, une ribambelle de gamins en quête d'un dernier tour à jouer, un chiffonnier tirant sa charrette à bras où s'entassait une pile de ballots, de caisses et de peaux animales d'une hauteur prodigieuse, un essaim de religieuses, leur chapelet cliquetant à la ceinture, qui se hâtaient vers leur couvent.

En face d'elle, le feuillage frais des ormes et des frênes, qui atténuait la touffeur du soir, éventait paresseusement la petite rue Deschambault. Peuplée d'une dizaine d'habitations entourées de jardins cultivés, cette paisible impasse conférait au quartier un aspect champêtre.

Gabrielle lui vouait un profond attachement, car elle y avait passé les plus belles heures de son enfance. L'été, elle y animait un petit spectacle de marionnettes pour ses camarades de jeu ou bien l'arpentait de long en large, juchée sur de hautes échasses, en s'imaginant faire le tour du globe et rencontrer une foule d'étrangers avec lesquels elle s'entretenait dans des langues inventées de toutes pièces. Parfois, elle y traînait une chaise pour écouter un brave retraité lui conter sa jeunesse, sa vie d'adulte et sa vieillesse, bien qu'elle ne comprît pas encore grand-chose aux différents âges de l'existence. L'hiver, elle y participait à d'inévitables batailles de boules de neige, ainsi qu'à des courses en raquettes, en patins ou en traîneau.

À l'ouest, cette rue débouchait sur la plaine jaune et verte, traversée par une ligne de chemin de fer. Un train roulait silencieusement en direction d'un groupe de bâtiments, d'où émergeait un vieux silo à grains en bois, coiffé d'un toit pointu, sur la façade duquel se détachait en toutes lettres la marque du producteur de blé United Grains Growers.

Un peu plus loin, la petite rivière Seine – que les premiers colons français et canadiens-français avaient baptisée ainsi en hommage au grand fleuve parisien – serpentait entre des bouleaux, des arbustes et des fleurs sauvages. Gabrielle posa un regard attendri sur un attroupement de petits chênes rabougris, qui faisait cercle sur la rive : il y avait de cela bien longtemps, elle aimait aller s'asseoir parmi eux pour leur raconter d'interminables histoires.

— Ah mes chers vieux amis, vous ne m'aviez jamais dit qu'il était si difficile d'écrire ! leur confia-t-elle. Y parviendrai-je jamais ? Mais qui suis-je donc pour être ainsi possédée par le démon de l'écriture et n'être même pas capable de terminer une malheureuse nouvelle ? Je finis par me demander si ce métier me correspond… Mais quoi faire d'autre ? Certes, je suis contente de retourner bientôt aux études et curieuse de voir où me mèneront mes expériences d'institutrice, mais je pourrais faire plein d'autres choses agréables dans la vie : jouer du piano, chanter, déclamer des vers sur une scène, faire du sport, voyager… c'est cela, voyager…

Son regard s'envola par-dessus la cime des arbres de la cour pour aller se perdre très loin, là où le haut ciel, encore très bleu à la tombée du jour, rejoignait les vastes plaines nues, à l'infini. Les derniers nuages blancs, pareils à de petits chariots de pionniers, se pressaient vers l'horizon.

— Que peut-il bien y avoir au-delà de cette immensité ? se demanda Gabrielle, qui ne la connaissait que par le biais des descriptions enjolivées que lui en avaient faites ses parents. Un jour, moi aussi je partirai à la découverte de l'inconnu : j'irai jusqu'au Québec, jusqu'au bout de la Prairie, jusqu'au bout du monde, peut-être.

En attendant, elle se sentait loin d'être prête à quitter le cocon familial. Souvent, elle comparait sa maison à un navire battu des vents et tanguant au milieu de l'océan vertigineux des plaines, mais elle y éprouvait un sentiment de confort et de sécurité totale. Malgré les fréquentes querelles qui éclataient entre ses parents en raison du manque d'argent, le caractère aigri et peu communicatif de son père, qui l'avait affublée de ce sobriquet de Petite Misère qu'elle détestait, et les bruyants démêlés de ses grands frères et sœurs à chacune de leurs visites, elle y avait, somme toute, vécu une jeunesse heureuse.

Elle se rappelait les soins que ses parents, fous d'inquiétude, lui avaient prodigués jour et nuit lorsqu'elle avait attrapé la scarlatine qui avait failli l'emporter. Mélina, une femme inventive et proche de la nature, n'avait pas sa pareille pour consoler ses chagrins d'enfant en lui confectionnant une petite poupée – une catin, comme elle disait – avec la corolle d'un coquelicot ou en lui préparant de délicieux suçons à la tire ; ou encore en improvisant un repas de spaghettis au veau, auquel elle conviait sa nombreuse parenté.

C'est pourquoi, étant une élève médiocre, paresseuse et un tantinet indisciplinée au début de sa scolarité, Gabrielle s'était juré, en voyant un jour les larmes de sa mère couler devant ses bulletins de notes, de devenir la meilleure de sa classe. Jamais elle n'oublierait le sourire rasséréné de cette dernière, lorsqu'elle lui avait rapporté ses premiers bons résultats.

En grandissant, elle était devenue une adolescente sage et accomplie, qui excellait dans toutes les matières et qui avait remporté de nombreux prix et distinctions ; jusqu'à la prestigieuse médaille du lieutenant-gouverneur du Manitoba, destinée aux meilleures élèves de la province, qu'on lui avait remise avec solennité à la fin de son secondaire.

Aujourd'hui, elle conservait précieusement ces récompenses dans le coffre de son grenier, parmi les souvenirs et les objets qui lui tenaient le plus à cœur : un vieil ours en peluche, des poupées anciennes qui avaient appartenu à ses sœurs, son premier livre de lecture, quelques bijoux et rubans à chapeaux de couleur, et son journal intime, auquel elle confiait ses secrets de jeune fille.

Elle fut tirée de sa rêverie par les cloches de la cathédrale de Saint-Boniface qui, dans le lointain, sonnaient l'angélus. Partout, l'air embaumé, sillonné d'une multitude d'oiseaux, vibrait de chaleur.

— Quelle belle soirée ! murmura Gabrielle. Je ferais mieux d'aller prendre une marche avec mes amis au lieu de rester enfermée. De toute façon, je n'écrirai plus rien de bon aujourd'hui.

Elle s'apprêtait à refermer la fenêtre lorsqu'un son aigu, provenant du champ en friche qui s'étendait en face, de l'autre côté de la rue Deschambault, arrêta son geste. Modulé sur une seule note, ce bruit reprit par intermittence, puis un autre le rejoignit, de la même tonalité, puis d'autres encore. Au début, disparate et dispersé, cet étrange orchestre ne tarda pas à s'accorder, enfla, désenfla, puis s'amplifia de nouveau, jusqu'à former un seul long cri monocorde, qui emplissait tout le quartier. Gabrielle, comme fascinée, ferma les yeux pour mieux écouter ce chant à la fois mélancolique et gai, doux et strident, qui l'envahissait peu à peu. C'était celui d'une centaine de grenouilles qui étaient sorties d'un petit étang caché par les hautes herbes du champ.

Soudain, une onde de chaleur parcourut la jeune fille des pieds à la tête. Saisie d'une inspiration presque irrésistible, elle s'assit avec précipitation à son petit bureau et se remit à écrire. Cette fois, au rythme de cette musique inattendue,

31

les mots lui venaient naturellement, les images surgissaient d'elles-mêmes, les phrases s'enchaînaient les unes aux autres, comme si elles lui étaient dictées par une voix s'élevant à la fois de l'étang et de l'intérieur d'elle-même pour la conforter dans sa vocation. La plume de Gabrielle courait fiévreusement sur les pages du cahier rouge et paraissait ne plus pouvoir s'arrêter. Oubliés, les reproches de son père et les pressions de sa mère ! Au diable, les doutes d'Adèle quant à son talent, les moqueries d'Anna et les sermons de Bernadette ! Elle s'abandonnait à l'ivresse de cette puissance créatrice toute nouvelle.

Au coassement mélodique des batraciens se mêlaient les hennissements des chevaux de son histoire, les voix de son grand-père, Élie Landry, et de sa grand-mère, Émilie Jeansonne, le grincement des roues de leur chariot, qui s'était remis en branle après une longue halte, et les éclats de rire de la jeune Mélina, qui battait des mains à la vue de la montagne Pembina se profilant sur le ciel démesuré. Les valeureux pionniers, pleins d'espérance et de confiance en leur avenir, avaient enfin atteint leur nouveau pays. Certes, ils allaient devoir travailler dur, défricher, dessoucher, bâtir leur maison, cultiver et vendre les produits de leur concession, mais cela ferait l'objet d'une autre nouvelle, que Gabrielle se promit d'écrire à la prochaine occasion.

À la fois épuisée et tout excitée, elle inscrivit avec fierté le mot FIN au bas de sa page. Puis elle se leva et se planta à la lucarne :

— Oh, merci, petites grenouilles, merci! s'écria-t-elle en ouvrant les bras dans un élan de gratitude. Cette fois, je sais… je sais qu'un jour, je serai écrivaine. J'écrirai un grand, un gros livre, et tout le Canada le lira!

3

L'austère *Winnipeg Normal Institute* se dressait sur un ciel sombre, en ce matin de septembre balayé par un vent frais et les premières feuilles mortes. C'était un immense bâtiment de style néo-classique, en pierre de calcaire grise, qui projetait sa façade en V à l'angle des rues William et McGertie, pareille à l'étrave d'un navire menaçant. Son fronton arborait le nom des lieux en lettres pompeuses et ses lucarnes semblaient regarder Gabrielle d'un air réprobateur.

— Brrr! se dit-elle en réprimant un frisson, je ne sais pas si je vais me plaire ici... on dirait un poste à incendie ou pire, une caserne.

Quelques jours auparavant, elle était allée rendre visite à sœur Émilie-du-Crucifix, l'un de ses anciens professeurs de français à l'Académie Saint-Joseph. La petite religieuse trapue, aux yeux et au sourire francs, ne lui avait pas caché les difficultés qui l'attendaient dans sa future école :

— L'enseignement s'effectuera exclusivement en anglais, avait-elle déclaré. Que voulez-vous, en 1922, le gouvernement a fermé l'École normale de Saint-Boniface, qui avait formé en français d'excellentes institutrices telles que vos sœurs! Vous n'avez donc pas d'autre choix que d'aller étudier là-bas, dans la langue de l'étranger.

Elle s'était mise à vitupérer la loi Greenway qui, en 1890, avait aboli le français en tant que langue officielle, créé un système d'enseignement public unique et retiré tout financement aux écoles confessionnelles. Cela, au mépris de l'Acte du Manitoba, lequel avait préconisé vingt ans plus tôt l'usage équitable du français et de l'anglais, ainsi que la séparation des établissements scolaires catholiques et protestants. L'Église avait donc dû faire appel à la générosité des parents d'élèves pour pouvoir gérer ses propres institutions. En 1896, le compromis Greenway-Laurier, en optant pour une éducation limitée en histoire religieuse et en français, et en maintenant la suppression des subsides aux établissements catholiques, n'avait fait qu'envenimer la «querelle des écoles du Manitoba», telle qu'on l'appelait en ce temps-là. Des années durant, cette polémique complexe, qui avait fait grand bruit dans tout le Canada, avait farouchement opposé les conservateurs aux libéraux, le clergé catholique manitobain, dirigé par le fougueux archevêque de Saint-Boniface, monseigneur Adélard Langevin, à ses homologues protestants, les enseignants canadiens-français à leurs confrères canadiens-anglais, et les parents d'élèves au gouvernement provincial. Sans que la situation des francophones s'en trouvât pour autant améliorée, bien au contraire ! En 1916, l'inique loi Thornton avait interdit de manière définitive l'enseignement du français dans toutes les écoles du Manitoba.

— À chaque génération, nos droits sont un peu plus rognés, notre pauvre langue, un peu plus humiliée, avait déploré sœur Émilie-du-Crucifix.

Mais après cet intermède politique, elle s'était lancée en riant dans l'évocation des innombrables stratagèmes que ses consœurs et elle-même utilisaient afin d'assurer des heures de cours supplémentaires en français à leurs élèves : elles cachaient des livres de lecture dans des couvertures arrachées à de vieilles Bibles ou à des missels abandonnés, organisaient des jeux de questions-réponses dans le sous-sol fermé à double tour de la cathédrale de Saint-Boniface, réunissaient leurs protégées la nuit dans le grenier de l'Académie, pour leur lire des romans à la lueur d'une chandelle. Ces inventives enseignantes agissaient avec la complicité de l'Association d'éducation des Canadiens français du Manitoba, qui était chargée de défendre ses compatriotes contre l'application abusive de la loi Thornton tout en protégeant la survie de leur culture. Cette complaisante organisation fermait les yeux sur les entorses faites aux décrets du *Department of Education*, voire les encourageait.

Cependant, lors d'une de ces inspections-surprises que le ministère canadien-anglais avait coutume d'effectuer dans les écoles catholiques, sœur Émilie-du-Crucifix avait bien failli se faire prendre... la main française dans le sac!

— Vous rappelez-vous quand l'examinateur est arrivé dans la classe et que je vous ai demandé à toutes de cacher en vitesse vos manuels de français dans vos pupitres et de sortir ceux d'anglais? Certaines de vos camarades n'avaient jamais dû en lire une seule ligne. Comme nous avions eu peur ce jour-là! Heureusement que vous étiez là, Gabrielle, vous aviez sauvé la classe! C'est vous qui aviez répondu en anglais à toutes les questions d'histoire du Canada, de géographie et de littérature. Vous aviez même conclu votre prestation par une tirade de Shakespeare qui ne figurait pas au programme, mais qui avait convaincu l'inspecteur qu'il était tombé dans une classe de... futures parfaites Canadiennes anglaises!

La religieuse avait ri de plus belle en repensant à l'inspecteur qui était reparti, un large sourire aux lèvres, sans se rendre compte à quel point il s'était fait berner, et après avoir félicité la directrice pour l'exceptionnelle qualité de l'enseignement dispensé par l'Académie Saint-Joseph.

Puis sœur Émilie-du-Crucifix avait repris son sérieux pour compléter le portrait peu engageant de l'École normale canadienne-anglaise :

— Ma petite Gabrielle, ils ne vont pas t'épargner, tu sais, l'avait-elle prévenue d'une voix douce, en la tutoyant pour la première fois. Je veux dire, les professeurs : ils vont se montrer beaucoup plus exigeants avec toi parce que tu es une Canadienne française. Les élèves non plus ne seront pas tendres. Tu devras travailler fort pour t'imposer auprès d'elles car elles viennent d'un milieu social supérieur au tien. Ces gens-là n'ont que mépris pour nous autres et très peu de nos finissantes sont admises dans leur école. Alors, montre-leur de quoi tu es capable et fais-nous aussi honneur à tous, ici ! Mais j'ai confiance, tu es très bonne en anglais, tu réussiras. Cependant, rappelle-toi, Gabrielle : ne renie jamais ton français, pour toi-même, pour nous autres, pour tes élèves. L'avenir de générations de petits Canadiens français est désormais entre les mains de personnes d'élite telles que toi. Allez, va, maintenant, courage, et que Dieu te protège !

* * *

Forte des mises en garde et des encouragements de son amie, la jeune fille avait donc pris le chemin de la rentrée, à la fois déterminée et pleine d'appréhension, en serrant son petit cartable sous son bras. Elle avait revêtu l'uniforme réglementaire des étudiantes de l'institut – chemisier blanc et cravate à rayures, veste et jupe bleues, bas blancs et souliers noirs – mais sans coiffer le béret, également bleu, car il lui déplaisait. Elle l'avait fourré dans sa poche et remplacé par un joli chapeau de la même couleur, sur lequel sa mère avait brodé en fils dorés les noms de ses auteurs préférés : Shakespeare, Jane Austen, Shelley, Byron, Thomas Hardy, George Eliot, les sœurs Brontë et Alphonse Daudet. Gabrielle n'avait pas osé lui faire ajouter ceux de Balzac, de Flaubert ou de Maupassant, parce qu'ils avaient été mis à l'index par les autorités ecclésiastiques et qu'on les lisait sous le manteau.

Le cœur battant, elle gravit les marches de l'entrée, flanquées d'énormes colonnes, et poussa les lourdes portes de chêne vitrées. Elle passa devant la loge du gardien, un homme à la figure de bouledogue auquel elle adressa un bref signe de tête, contourna un départ d'escalier qui dégageait une fraîche odeur de cire, et enfila un long couloir carrelé, ses talons résonnant dans le silence.

La porte du fond ouvrait sur une vaste cour de récréation. Des centaines de jeunes filles, réunies par petits groupes, y jacassaient à grand bruit.

À peine Gabrielle avait-elle fait son apparition que des inconnues firent cercle autour d'elle. Les moqueries fusèrent de toutes parts :

— *Hey, girls ! Look at that silly hat !* (Hé, les filles, regardez-moi ce chapeau ridicule !) s'exclama une grande perche brune à l'air narquois, en se mettant à épeler les noms qui figuraient sur le couvre-chef de l'arrivante. *Al… phon's… Da…ou… dett… Who's that guy ? Your boyfriend ?* (Al…phon…se… Dau… det… Qui c'est, ce gars-là ? Ton petit ami ?)

Toute la bande éclata de rire.

— *Who's that jerk? You, what's your name?* (Qui est cette paysanne ? Comment t'appelles-tu, toi ?) questionna une grosse blonde un brin vulgaire, les yeux luisants de méchanceté.

— Gabrielle Roy, répondit l'arrivante d'une voix intimidée, tout en s'efforçant de sourire.

— *Gabrielle what? Roïe?* (Gabrielle quoi ? Roye ?) pouffa une petite rousse au vilain nez retroussé.

— *So you, French pea soup, what are you coming here for damned?* (Puis toi, maudite petite Française, qu'est-ce que tu viens faire ici ?) reprit la plus grande, qui paraissait être la meneuse et dépassait Gabrielle d'une bonne tête.

— *For the same reason than you* (La même chose que toi), répliqua cette dernière en soutenant son regard. Mais en son for intérieur, elle n'en menait pas large.

— *What? What did you say? Hey! girls, did you understand something?* (Quoi ? Qu'est-ce que tu as dit ? Hé, les filles, vous avez compris quelque chose ?)

— *Nothing at all, she still has pea soup in her mouth. Maybe it's time for you to learn to speak… white, don't you think?* (Rien du tout, elle a encore de la soupe aux pois dans la bouche. Il serait peut-être temps que tu apprennes à parler… la langue des gens civilisés, tu ne penses pas ?) lança une autre.

Les rires reprirent de plus belle.

— *And did you see her haircut? She looks like a nun. Maybe you could give us the address of your hairdresser in your dump in Saint-Boniface!* (Et vous avez vu sa coiffure? Elle ressemble à une bonne sœur. Tu pourrais peut-être nous donner l'adresse de ta coiffeuse dans ton trou de Saint-Boniface!) gloussa encore une pimbêche qui affichait avec arrogance sa coupe de cheveux à la garçonne.

Enhardie par cette dernière sortie, la grande brune donna une chiquenaude au chapeau de Gabrielle, qui tomba par terre, et lui ébouriffa vigoureusement les cheveux, ce qui fit s'esclaffer encore plus fort les railleuses. Humiliée et rouge de confusion, la jeune fille se baissa pour le ramasser et s'en recoiffa après avoir remis de l'ordre dans sa chevelure. Puis, se frayant un passage sous les huées, la gorge serrée et les jambes flageolantes, elle se dirigea vers un petit groupe qui se tenait en retrait: celui des Canadiennes françaises, ses anciennes camarades de douzième année. Pâles et la mine défaite, les six jeunes filles se tenaient serrées les unes contre les autres.

— Salut, Gabrielle! dit une dénommée Annie Lafrenière d'une voix blanche. Elles nous jouent à toutes de sales tours, j'ai bien l'impression qu'on va en arracher…

— Elles ne vont faire qu'une bouchée de nous, gémit Madeleine Prénovost, qui était au bord des larmes. Et elles nous ont déjà attribué des surnoms grotesques.

— Mais toi, tu es belle et intelligente, Gabrielle, fit observer Simone Rhéal, elles vont finir par te ficher la paix.

— Oui, et je n'ai pas l'intention de me laisser faire, répondit-elle, tentant surtout de s'en convaincre.

La cloche qui annonçait l'ouverture des classes vint interrompre leurs échanges. Les groupes se dispersèrent avec rapidité à travers la cour et Gabrielle rejoignit le pavillon destiné aux étudiantes qui devaient préparer le brevet d'institutrice de première année. La jeune Bonifacienne et une bonne soixante-dizaine de filles pénétrèrent dans un couloir où elles suspendirent aux patères, la première, son chapeau, les autres, leur béret, puis elles entrèrent en classe.

Gabrielle fut frappée par la quasi-nudité des murs, qui contrastaient avec ceux de l'Académie Saint-Joseph, lesquels étaient toujours tapissés d'images saintes, de dessins d'élèves et de photos de fin d'année. En resongeant à sa chère école, elle sentit les larmes lui monter aux yeux mais les refoula bien vite.

— Asseyez-vous! ordonna en anglais un homme d'une soixantaine d'années, qui se tenait sur l'estrade. Maigre et de haute taille, son costume trois-pièces noir accusait son visage émacié et son air rigide et autoritaire. Et en silence! ajouta-t-il, couvrant d'une voix de stentor le bourdonnement qui régnait dans la salle.

Gabrielle s'apprêtait à prendre place à l'un des pupitres jumelés, près d'une camarade qui y était déjà installée, quand cette dernière s'empressa de poser son cartable sur la chaise vacante.

— *No, not you here!* (Non, je ne veux pas de toi ici!) lui jeta-t-elle.

Après avoir essuyé plusieurs rebuffades, elle trouva à s'asseoir à côté d'une élève à la mine boudeuse, qui affecta de l'ignorer.

— Je suis le docteur William A. McIntyre, le directeur de cet établissement, déclara le sinistre dirigeant. Aujourd'hui, je vais faire le tour des classes afin de mieux vous connaître et de vous expliquer les règlements de notre institut.

L'appel commença. Chaque fois que le proviseur butait sur le nom d'une Canadienne française, toute la classe était prise de fous rires. Parvenu à celui de Gabrielle, il releva la tête de sa liste et fixa avec sévérité la nouvelle venue par-dessus ses lunettes :

— *Miss Roïe*, vous serez bien aimable, à l'avenir, de porter le béret conforme aux règles de cette école. Je vous ai vue tout à l'heure par la fenêtre de mon bureau. Ce genre d'originalité n'est pas de mise ici, vous n'êtes pas à un concours de mode. Ne commencez pas à vous distinguer de vos camarades, vous n'êtes pas en position de le faire, me semble-t-il. Faites-vous plutôt remarquer par la qualité de votre travail… du moins si vous en êtes capable !

Gabrielle baissa la tête, rouge de honte.

— Mesdemoiselles, poursuivit-il à l'intention de la classe, j'entends que notre établissement demeure à la hauteur de sa réputation, aussi ne tolérerons-nous aucun manquement à la discipline. Tout retard injustifié sera puni, vous devrez en toute circonstance respecter vos professeurs, vous taire pendant les cours, ne répondre que lorsqu'ils vous interrogeront, et rendre en temps et en heure les devoirs que vous aurez à faire à la maison. Nous mettons à votre disposition une cantine, une bibliothèque, une salle de travaux manuels, une étude, ainsi qu'un gymnase où vous pourrez vous détendre ou vous entraîner en dehors des cours d'éducation physique. Dois-je vous préciser que le maquillage et les bijoux sont interdits, et qu'aucun garçon ne doit franchir les portes de cette école ni vous attendre à sa sortie ?

Des rires étouffés et quelques gloussements accueillirent ces paroles.

— Taisez-vous ! À moins qu'il ne s'agisse d'un membre de votre famille, bien entendu, en quel cas il devra m'en aviser. Et que je ne vous surprenne pas en mauvaise compagnie ou à traîner dans les rues de Winnipeg, sinon vous serez renvoyées ! Vous êtes ici pour vous préparer à votre future mission d'institutrice et une institutrice digne de ce nom doit donner le bon exemple. Non seulement il vous incombera d'instruire et de cultiver l'intelligence de vos élèves, mais aussi de fortifier leurs bons sentiments et de leur inculquer les règles de la morale. Vous devrez former leur caractère et favoriser leur développement physique et spirituel, afin d'en faire des citoyens aptes à remplir un jour leurs devoirs économiques, politiques et sociaux. Par conséquent, mesdemoiselles, il vous faudra faire preuve d'ordre, de méthode, de rigueur : la meilleure discipline commence par celle qu'on s'impose à soi-même. En outre, votre rôle sera de combattre les maux qui affligent notre communauté, tels l'alcoolisme, les maladies infectieuses, la mendicité. En réformant les enfants, nous croyons en la capacité de l'école à réformer leurs parents et peut-être un jour, la société elle-même. Vous devrez également…

La cloche de la récréation rompit fort à propos cet interminable laïus.

En sortant de la classe, Daisy Fielding, la corpulente blonde qui faisait partie du comité d'accueil si cruel de l'école, profita du brouhaha général pour bousculer Gabrielle.

— *I beg your pardon… mademoiselle* (Je vous demande pardon) fit-elle semblant de s'excuser en plongeant dans une profonde révérence. Elle avait apostrophé son souffre-douleur en français pour mieux lui signifier son mépris.

46

La jeune fille résista à l'envie de la gifler. Ce n'était pas le moment de causer un esclandre, d'autant plus que le soutien du principal ne manquerait pas d'aller à son ennemie. Isolée au milieu de la cour qui bruissait de conversations en anglais, rejetée par ses compagnes, qui la dévisageaient en échangeant entre elles des commentaires malveillants et en riant sous cape, elle se sentait aussi perdue et désemparée que le vilain petit canard du conte d'Andersen.

Après la pause, les professeurs, qui étaient pour la plupart Écossais comme le directeur, vinrent tour à tour présenter la matière qu'ils enseigneraient durant l'année : *Reading* (la lecture), *Speaking* (la langue orale), *Writing* (la langue écrite), *Pedagogy* (la pédagogie), *School management* (la direction d'école), *Seat Work* (les interrogations écrites) et *Physical Education* (l'éducation physique). Parmi eux figurait un professeur de grammaire, une vieille fille sèche, au maigre chignon tiré jusqu'au sommet du crâne et aux lèvres pincées, qui répondait au nom de Miss Macdonald. D'emblée, elle prit Gabrielle en grippe, la faisant répéter sans cesse les mêmes phrases, sous prétexte qu'elle ne comprenait pas son accent, la bombardant de questions et l'envoyant à trois reprises au tableau pour essayer de la ridiculiser. Elle paraissait tirer une joie malsaine des rires que ses remontrances provoquaient dans la classe. Toutefois, faisant contre mauvaise fortune bon cœur, la novice réussit en partie à déjouer ses pièges.

* * *

La journée s'étirait et semblait ne jamais devoir finir. Les brimades exercées par les étudiantes canadiennes-anglaises à l'encontre de Gabrielle s'étaient succédé. Mary Ann Ashton, la grande brune aux allures de caïd, lui avait fait un croc-en-jambe alors qu'elle se rendait au tableau ; Janet Spencer, la laide petite rousse au nez en trompette, avait fait tomber de son pupitre ses livres et ses cahiers, ce qui lui avait valu une injuste réprimande de la part d'un enseignant ; et Dorothy O'Reilly, la peste qui faisait parade de sa coupe de cheveux au carré, lui avait volé en douce sa boîte à lunch : Gabrielle l'avait retrouvée seulement à l'heure de la collation dans le casier de son petit bureau. Même son beau chapeau, après avoir servi de balle à ses tourmenteuses qui se l'étaient passé de main en main, lui était revenu en loques.

Enfin, la cloche libératrice retentit. Gabrielle s'enfuit, plus qu'elle ne courut, pour prendre le tramway qui devait la ramener chez elle. Comble de malchance, la voiture était bondée : la jeune fille dut donc demeurer debout en se tenant à une poignée suspendue au plafond. Elle se sentait épuisée et profondément meurtrie. Elle qui, d'ordinaire, aimait observer les gens tout autour pour mieux les décrire dans ses nouvelles ou dans son journal intime, prêta à peine attention aux passagers qui montaient et descendaient à chaque station : des ouvriers, la casquette sur l'oreille et la boîte à outils en bandoulière, des employés de bureau en chapeau, costume strict et imperméable gris, des secrétaires au maquillage défraîchi, des étudiants, le nez plongé dans un bouquin, des vendeuses dégageant le parfum bon marché, des mères de famille qui revenaient de faire les courses ou qui ramenaient leurs enfants de l'école. Il lui sembla même que tout ce petit monde arborait le même air las qu'elle et n'avait qu'une seule hâte : retrouver son chez-soi.

Le trajet entre l'École normale de Winnipeg et Saint-Boniface, qui prenait tout au plus une demi-heure, lui parut, lui aussi, interminable. Le long des immenses artères de la capitale, qui se croisaient en se coupant à angle droit, ce n'était qu'un morne défilé de grands magasins, d'entrepôts, de dépôts ferroviaires, de manufactures, de fabriques hérissées de cheminées et de hauts édifices de bureaux, témoignant tous par leur architecture d'une influence britannique.

Au carrefour des avenues commerçantes Main et Portage, la circulation se fit plus dense. Puis le tramway s'immobilisa d'un coup. Ses usagers se massèrent aux fenêtres pour tenter de voir ce qu'il se passait. Un accident, survenu quelques minutes plus tôt, bloquait le trafic. Une rutilante Auburn – sans doute la propriété de quelque directeur d'usine ou de son fils – et une voiture à cheval s'étaient violemment percutées, provoquant un embouteillage et un concert assourdissant de trompes et de klaxons.

Le chauffeur de l'automobile, un homme d'une trentaine d'années aux cheveux gominés et au costume clair, une grosse chaîne de montre en or s'échappant de la poche de son gilet, invectivait le conducteur de l'attelage. Au milieu de l'attroupement qui s'était formé et des chevaux qui se cabraient en hennissant de terreur, Gabrielle reconnut dans ce dernier monsieur Desnoyers, le livreur de charbon de son quartier. Blême, les bras ballants, le pauvre homme fixait avec consternation sa charrette défoncée et son chargement dont la moitié avait versé : sous le choc de la collision, les sacs en toile de jute avaient éclaté et des centaines de boulets de charbon s'étaient répandus sur la chaussée. Non seulement le travailleur avait perdu tout le gain de sa journée, mais combien de mois lui faudrait-il pour pouvoir rembourser l'achat d'une voiture neuve ?

Les yeux rougis comme s'il était sur le point de pleurer, il paraissait ployer sous le flot des insultes de son interlocuteur. Il tentait bien de se défendre, mais ne parvenait qu'à baragouiner quelques mots d'anglais. Malgré sa fatigue, Gabrielle éprouva un vif sentiment de compassion à l'égard de son compatriote :

— Est-ce normal que les mêmes soient toujours victimes de cette langue soi-disant supérieure, seule à être capable d'assurer le pouvoir et la fortune à ceux qui la maîtrisent ? se demanda-t-elle.

Enfin, le tramway repartit et Gabrielle put attraper de justesse sa correspondance. Le véhicule filait à présent à vive allure sur le pont Provencher, qui reliait la capitale à Saint-Boniface en enjambant la rivière Rouge. La jeune fille poussa un soupir de soulagement. Jamais sa petite ville ne lui était apparue aussi chaleureuse et accueillante. Elle semblait même lui tendre les bras, déroulant le long du cours d'eau une ribambelle de bâtiments familiers : la cathédrale de style romano-byzantin, flanquée de deux hautes tours à clochers, dont la façade arborait une rosace multicolore, pareille à une grosse médaille ou à un bijou chatoyant, l'hôpital blanc des Sœurs Grises, tout en longueur, avec son toit en croupe et sa double rangée de fenêtres aux volets verts, le moulin à farine, le chantier de bois de construction, la scierie, la carderie, les maisonnettes des résidents, peintes de couleurs vives. Au-delà, des sapins qui abritaient des collèges, des croix surmontant des couvents et d'innombrables flèches et clochetons découpaient leur silhouette dentelée, telle une féérie gothique, sur un ciel éraflé par les premières lueurs du soleil couchant.

À peine rentrée chez elle, Gabrielle s'effondra dans le sofa du salon, en larmes :

— Oh, maman, si vous saviez… quelle affreuse journée ! hoqueta-t-elle entre deux sanglots. Je ne tiendrai jamais le coup. Je crois que je préfère rester à la maison avec vous.

— J'sais ben, répondit Mélina sur un ton attristé, c't'après-midi, j'ai vu madame Prénovost, la mère de ta camarade : Madeleine s'est sauvée d'l'école, elle s'est enfermée dans sa chambre pis elle veut pus en sortir. Elle retournera pus là-bas. Ces maudits Anglais, y nous laisseront don jamais tranquilles. À croire qu'on est coupables d'êt' nés Canadiens français dans c'te pays-là! Une vraie malédiction. Mais toé, Gabrielle, t'es forte pis courageuse. Faut leur tenir tête à c'te monde-là! Y'a que ça qu'y comprennent, eux aut'…

— Mais les filles… jamais je n'avais été traitée ainsi!

— Elles seraient ben trop contentes que tu t'pointes pus en classe, faut pas faire leur jeu. C'est qu'un mauvais moment à passer pis dans pas longtemps, tout ça va arrêter, tu peux m'croire. Pis les professeurs, y z'étaient pas intéressants?

— Si, un peu vieux jeu par bouts, mais…

— Alors, c'est ça qu'est important! Tu vas t'y faire, t'es la meilleure, Gabrielle. Y'a qu'avec d'la patience, du travail et d'l'obstination qu'on obtient queq' chose dans la vie. Pense à ton père. Tes professeurs, y vont finir par t'accepter pis par voir que t'es ben capable. Tsé, même si j'aime pas ben bon les Anglais, j'aurais aimé la connaître, moé, leur langue, ça m'aurait aidée au moins quand c'est l'temps d'aller magasiner chez eux. Faut que tu prennes ta chance, Gaby, car c'te langue-là, c'est la langue de l'avenir pour vous aut', les jeunes, pis pour ceux qui viendront après. C'est ben d'valeur mais c'est comme ça, on y peut rien.

— Comme c'est mélangeant! rétorqua l'étudiante, qui pleurait toujours. D'un côté, on veut que nous acquérions un esprit anglais, de l'autre, que nous gardions notre culture française. Il faut sans cesse s'ajuster et jongler avec ça!

— Ben oui, ma chouette, j'sais que c'est pas facile. Maintenant, tu vas monter te reposer dans ta chambre et réviser tes leçons, pis pendant c'temps-là, j'te préparerai un bon macaroni au bœuf et aux tomates. Pas un mot d'tout ça à ton père quand y rentrera, y est pas mal fatigué dans l'moment et y s'inquiéterait. Pis après l'souper, j'commencerai à t'faire un aut' chapeau, l'même mais plus beau encore qu'çui-citte. Comme ça, tu pourras l'mettre pour quand tu sortiras avec tes amis d'Saint-Boniface ou que tu recevras ton diplôme d'institutrice. Et j'te gage que c'te jour-là, y'en a pas un qu'osera t'l'enlever!

Gabrielle sécha ses larmes et se blottit dans les bras de sa mère. Les deux femmes restèrent un long moment à se bercer l'une l'autre, tandis que Mélina chantonnait un vieil air de sa jeunesse, comme elle le faisait déjà il y a dix-neuf ans, pour consoler sa petite dernière.

4

Les semaines puis les mois passèrent. Gabrielle s'était peu à peu adaptée à son nouvel environnement. Comme l'avait prédit Mélina, les vexations dont elle faisait l'objet de la part des étudiantes canadiennes-anglaises s'étaient espacées jusqu'à cesser définitivement. Non seulement le rythme de travail intensif auquel l'École normale soumettait ses recrues ne leur laissait guère le temps ni le loisir de harceler l'une des leurs, mais le courage, la volonté de s'intégrer dans sa classe et la gentillesse de la jeune Canadienne française avaient fini par triompher des préjugés que ses condisciples nourrissaient à son égard.

À présent, elle avait recouvré la gaieté, l'espièglerie et ce petit côté cabotin qui en avaient fait une jeune fille populaire à l'Académie Saint-Joseph ; et malgré le climat de rivalité que les professeurs entretenaient entre les élèves, elle était devenue une compagne admirée et recherchée. De son côté, même si elle ne considérait pas ses semblables comme des amies, mais simplement comme de bonnes camarades et même si elle demeurait silencieuse et gênée lorsque celles-ci évoquaient durant la récréation les riches demeures qu'elles habitaient, les événements mondains que leurs parents organisaient ou les robes du soir qu'elles portaient aux bals auxquels elles étaient invitées, elle se joignait volontiers à leurs distractions : les parties de balle dans le gymnase, les promenades en ville, la patinoire, plus rarement les sorties au spectacle. Cédant à la mode du temps, elle s'était fait couper et onduler les cheveux comme ses copines, tandis qu'elles s'étaient confectionné des chapeaux bleus brodés de fils dorés, à l'exemple de celui qu'elle portait le jour de la rentrée. Elle avait même fini par faire la paix avec ses anciennes ennemies, puis par pardonner et oublier les offenses qu'elles lui avaient infligées à son arrivée à l'institut. D'ailleurs, Mary Ann Ashton et ses comparses faisaient le plus souvent bande à part, les autres filles ayant vite mis un frein à leurs velléités de régenter la classe, voire l'école tout entière.

De la même manière, par son application, sa conduite irréprochable durant les cours et son acharnement au travail, Gabrielle s'était fait assez vite remarquer et apprécier de ses professeurs. Elle avait amélioré son accent, acquis un vocabulaire conséquent et lisait une quantité d'ouvrages en langue anglaise. Étant à ses débuts une élève moyenne, que l'on notait souvent injustement, elle avait conquis de haute lutte une place de treizième à la fin du trimestre et ambitionnait maintenant d'atteindre les premières. Et quoiqu'elle ne fût pas parvenue à s'acquérir la sympathie de Miss Macdonald, son professeur de grammaire, au moins cette dernière, impressionnée par ses progrès, la traitait-elle à présent avec respect : elle l'écoutait avec attention, approuvant d'un demi-sourire ses réponses correctes à une question ou corrigeant sans acrimonie ses imperfections linguistiques. La «maîtresse-dragon», comme l'avait surnommée l'étudiante, ne la reprenait avec sévérité que lorsqu'elle la surprenait à rêvasser. En effet, n'ayant plus le temps d'écrire, il arrivait souvent à la jeune fille de songer avec une douce mélancolie à sa véritable vocation, de laisser son imagination s'envoler par la fenêtre de la classe ou d'écouter les mystérieuses «voix des étangs» – telles qu'elle appelait ses accès d'inspiration – qui montaient du plus profond d'elle-même. Ainsi remise à l'ordre, l'écrivaine en herbe rangeait ses rêves dans un coin de son esprit, en attendant les vacances qui lui permettraient de retrouver sa chère plume et son petit cahier rouge.

À la maison, sa mère et sa sœur Clémence s'efforçaient de lui rendre la vie agréable, faisant le moins de bruit possible pour ne pas la déranger dans son travail, veillant à ce qu'elle ne manquât de rien et que ses repas fussent toujours prêts à l'heure. Comme elle avait toujours le nez plongé dans ses livres et ses cahiers, c'est à peine si elle avait remarqué que la santé de son père déclinait de jour en jour: se plaignant de fréquentes douleurs à la poitrine et à l'estomac, le vieillard n'était plus que l'ombre de lui-même. Pâle et décharné, il traînait en pantoufles d'une pièce à l'autre, préférant désormais le confort de sa chaise berçante, dans la cuisine, à la remise du jardin où il travaillait le bois chaque hiver. Il y demeurait de longues heures, oisif et encore moins loquace que d'ordinaire, et parfois y dormait des après-midi entières, son chat tigré Méphisto sur les genoux. Une atmosphère quasi monacale régnait désormais rue Deschambault.

* * *

Cependant, Noël ramena ce vent de bonne humeur et d'animation que Mélina savait si bien faire souffler sur la maison. Dès la pointe du jour, on l'entendit aller et venir, déplacer les meubles du salon et vaquer à ses fourneaux en chantant à la perspective de recevoir sa vaste parenté. De temps en temps, elle donnait des ordres et houspillait Clémence, qui avançait trop lentement, selon elle, dans l'exécution de ses tâches :

— Attrape-moé la fourchette à rôti ! Pas celle-là, l'aut' ! As-tu mis une pincée d'sel dans ta sauce ? Non ? Alors fais-le tout d'suite ! Ah, ma pauvre fille, il faut tout t'dire ! Tiens, va don chercher encore queq' navets à la cave, pis des gros s'il vous plaît, tu connais l'appétit d'tes oncles ! En passant, goûte ma crème pâtissière. T'oublieras pas d'passer aussi la guenille sur l'piano, j'y ai vu un restant d'poussière. Pis dépêche-toé un peu parce que comme de coutume, j'vas pas avoir l'temps d'm'apprêter avant qu'les invités arrivent !

Après avoir passé plusieurs heures à étudier dans sa chambre, Gabrielle descendit au milieu de l'après-midi, un large sourire aux lèvres. Elle avait revêtu pour la circonstance une simple robe noire, droite et courte, agrémentée d'un petit collier de perles.

— Que c'est beau! s'exclama-t-elle en découvrant la décoration du salon, comme d'habitude, vous avez fait des merveilles, maman.

Afin de donner l'illusion d'un arbre enneigé, Mélina avait orné un sapin de fines guirlandes imitant des fils de la Vierge et de boules délicatement argentées. À la cime était piquée une étoile en forme de cristal de neige. Une crèche et des santons de bois, que Léon Roy avait autrefois sculptés pour leurs premiers enfants, trônaient sur la cheminée. De gros bas de laine, les uns rouges, les autres verts, débordants de paquets et de cannes en sucre candi aux rayures colorées, étaient suspendus au-dessus de l'âtre, où crépitait une flambée odorante. Sur les guéridons, des bouquets de houx aux boules rouges jaillissaient des vases en pâte de verre bleu. Posées çà et là sur les meubles, des coupelles regorgeaient de bonbons, de biscuits au gingembre en forme de bonshommes et de petits gâteaux aux patates faits maison. Deux lampes à pétrole et la flamme de nombreuses bougies nouées de rubans rouges tamisaient l'éclairage de la pièce, jetant leur lueur dansante sur les rideaux de popeline verts et sur les imprimés blancs à petites roses du sofa et des fauteuils.

— Comme ça, on aura pas besoin d'user not' électricité, se crut obligée de préciser la maîtresse des lieux avant de disparaître dans sa chambre.

À peine avait-elle enfilé la robe noire à col à revers blanc qu'elle réservait pour les grandes occasions qu'un coup de sonnette se fit entendre. Elle se précipita pour ouvrir la porte d'entrée, qui arborait une couronne de ramures de sapin garnie d'un gros nœud de rubans rouges. Sur le seuil se tenait son frère Excide : souriant de toutes ses dents, il lui tendit une énorme caisse de légumes provenant de la ferme qu'il exploitait entre Saint-Léon et Saint-Alphonse, le pays des Landry. C'était un bel homme dans la fin de la cinquantaine, à la forte charpente, aux cheveux et à la moustache noirs, au teint cuivré par les travaux des champs, et dont les grands yeux sombres roulaient comme des billes. Toujours gai et de bonne humeur, il était en quelque sorte l'alter ego masculin de Mélina.

Il était accompagné de la mère de sa défunte femme Luzina, que toute la famille appelait «mémère Major», de ses enfants, Germain, Rose-Éliane, Cléophas et Léa, dont l'âge s'échelonnait entre onze et vingt ans, ainsi que des autres frères Landry : Calixte et Zénon, eux aussi agriculteurs, et de leurs épouses, Nora Lemieux et Anna-Zéline Fortier. Les bras chargés de cadeaux grossièrement enveloppés et ficelés, tous s'étaient entassés tant bien que mal dans deux automobiles pour effectuer le trajet depuis la montagne Pembina.

Après s'être débarrassés de leurs fourrures et de leurs paquets, que Mélina déposa sous le sapin, les arrivants pénétrèrent dans le salon en poussant des cris d'admiration.

De la cuisine s'échappait un délicieux fumet de viande rôtie aux fines herbes, qui leur mit aussitôt l'eau à la bouche. Excide conduisit l'aïeule jusqu'au fauteuil le plus confortable puis, au milieu des embrassades, il saisit la maîtresse de maison par la taille et la souleva dans les airs :

— T'es toujours aussi belle, grande sœur ! déclara-t-il. Tsé-tu que t'en ferais encore tourner des têtes par chez nous, toé !

— Raconte pas d'niaiseries, gloussa cette dernière en rougissant sous le compliment, laisse-moi don, tu vas froisser ma robe pis toute m'décoiffer !

Il la reposa à terre et se tourna vers Léon Roy, qui se chauffait au coin de la cheminée, dans un fauteuil en bois :

— Pis toé, Léon, comment ça va la santé astheure ?

Ce dernier hocha la tête sans répondre. Le teint grisâtre, il paraissait flotter dans son costume bleu passé de mode, au col dur à pointes tournées.

— Pis l'frère, reprit Mélina, comment ça va, toé, sur la ferme ?

— Pas pire, pas pire, sauf qu'la *combine* que j'avais louée l'été dernier à la coopérative agricole est tombée en panne dans l'mitan d'août et que ç'a pris ben du temps à réparer, c't'affaire-là. A fallu que j'attelle mes chevaux à une vieille machine pis que j'continue d'même, ç'a pas d'bon sens. J'ai eu du retard ben gros dans mes moissons. Heureusement que mes gars m'ont aidé. Tiens, au fait, l'père Brugnon, de Somerset, ben y est mort y'a deux mois… soixante-deux ans… pas pire pour un qui levait plutôt l'coude, hein? Pis tu t'rappelles d'la mère Rondeau…

Pendant qu'Excide racontait les derniers potins de sa région, bientôt relayés par Calixte, Zénon, et leurs femmes, ses enfants avaient fait cercle autour de Gabrielle. Comme cette dernière avait souvent passé l'été à la ferme des Landry, pendant que Mélina aidait son frère aux champs pour boucler ses fins de mois, les cousins avaient une foule de choses à se raconter. Ils parlaient tous à la fois et se bombardaient les uns les autres de questions avec de grands éclats de rire.

Un nouveau coup de sonnette retentit, puis Rodolphe fit son apparition, un étui à violon sous le bras.

— Salut la compagnie! lança-t-il à la cantonade. Bien qu'il fût déjà gris, le «mauvais garçon» de la famille était en fait un jeune homme à la mise soignée. Ses yeux bruns en amande, vifs et rieurs, et ses traits fins lui conféraient une aura de séduction. Pendant que Gabrielle sautait au cou de son frère, ce dernier lui glissa un billet de banque dans la main.

— Tiens, achète-toi quelque chose qui te fera plaisir, chuchota-t-il. J'sais pas, moi, un chapeau, une nouvelle robe, c'que tu voudras… mais pas encore des livres!

— Oh, merci, Rado, tu es si gentil! Mais… tu as retrouvé du travail alors?

— T'en fais pas pour moi, tite sœur, je m'débrouille. J'fais le télégraphiste pis j'donne de temps en temps un coup d'main à la gare, mais plus comme chef.

Les derniers invités s'annonçaient: Anna, l'ancienne institutrice, qui fit sensation dans sa robe «serpent» noire et décolletée, embellie d'un collier en sautoir, son mari, Albert, grand, maigre et voûté, et leurs trois adolescents, Fernand, Gilles et Paul; enfin, Rosalie, une autre sœur Landry, qui arriva à pied avec ses filles, Blanche et Imelda, âgées d'une vingtaine d'années. Séparée de longue date d'un mari alcoolique et violent, cette grande et belle femme énergique, aux cheveux blonds frisés, avait élevé seule ses enfants tout en effectuant des ménages et des travaux de couture à Saint-Boniface.

Les conversations emplissaient bruyamment la pièce. Mélina dut frapper dans ses mains pour obtenir le silence:

— J'sais que m'sieur l'curé d'Saint-Boniface serait pas ben, ben content qu'on soupe avant la messe de minuit, commença-t-elle, mais puisqu'y en a parmi vous aut' qui doivent repartir demain dans l'avant-midi, on a pas l'choix cette fois-citte… alors à table!

On passa dans la salle à manger attenante au salon. Avec l'aide de Clémence, la ménagère avait remisé le mobilier ordinaire pour monter de la cave une longue table et des chaises anciennes, auxquelles la cire avait redonné un certain lustre. Sur une nappe d'une blancheur immaculée, recouverte d'une grande pièce de dentelle, elle avait disposé son plus beau service en pâte de verre transparent, des couverts en étain, ainsi que des carafes d'eau fraîche et des pots de bière. En guise de centre de table, elle avait placé des branches de sapin saupoudrées de blanc et parsemées de petits cônes de pin. Des bougies et des cônes de pin d'une plus grande taille, piqués de tiges de houx aux petites boules rouges, les encadraient. Tout le monde prit place en s'extasiant de nouveau sur le décor. Mélina était aux anges.

À tour de rôle, la maîtresse de maison et Clémence apportèrent les plats : une soupe à l'orge et au bœuf, des tourtières, des rôtis de dinde farcis, assaisonnés d'herbes aromatiques et accompagnés de pommes de terre et de navets, et d'énormes gâteaux des Fêtes aux fruits et à la crème. Tous les convives firent honneur au repas, qui se déroula dans une ambiance bon enfant, ponctuée d'anecdotes drôles, de souvenirs heureux et de rires. Mélina servit ensuite le café au salon, pendant que les hommes fumaient la pipe et que les femmes grignotaient des biscuits.

Puis ce fut le temps d'ouvrir les cadeaux et pendant un long moment on n'entendit plus que des froissements de papiers, suivis d'exclamations de surprise et de gros baisers. Un nombre impressionnant de tuques, d'écharpes, de mitaines et de bas tricotés jonchaient le plancher parmi des nécessaires à couture, des outils, de menus objets, et même de petits anges en dentelle dorée et amidonnée qu'on accrocherait aux sapins, le Noël prochain.

En découvrant le présent que lui avait offert sa mère, Gabrielle explosa de joie :

— L'œuvre complète de Keats, le poète romantique anglais ! Mais cela a dû vous coûter une fortune, maman !

— Mais non, mais non, c't'un ouvrage de seconde main, pis comme ça, j't'entendrai pus t'plaindre d' devoir aller sans cesse le consulter à la bibliothèque.

Lorsque le calme fut revenu, Léa, la grande fille d'Excide, réclama de la musique :

— Gabrielle, joue-nous quelque chose au piano !

— Oh oui ! Gabrielle, au piano ! Gabrielle, au piano ! scandèrent les jeunes Landry en chœur.

Après s'être fait tirer l'oreille, la jeune fille, toute rougissante, s'installa devant l'instrument et ouvrit ses partitions. Elle entama l'accompagnement d'un des *Chants canadiens* d'Antoine Dessane, un compositeur québécois du XIXe siècle, qui arracha des larmes d'émotion à Mélina. Encouragée par le tonnerre d'applaudissements qui salua son interprétation,

Gabrielle joua encore quelques airs tandis que les anciens chantaient à l'unisson, communiant dans la nostalgie de leur jeunesse passée dans la mère-patrie.

Puis Rodolphe, mis en gaieté par un excès de bière, empoigna à son tour son violon et se lança dans un *reel* endiablé. Il n'en fallut pas plus à Excide pour sentir des fourmis lui chatouiller les jambes. Attrapant Mélina par les hanches, il esquissa quelques pas de danse malgré les cris et les protestations de cette dernière :

— Arrête, grand niaiseux, mais arrête don! C'est pus d'mon âge, des affaires de même!

— Mais si, mais si, ça t'rappellera l'bon temps, ma belle!

Et il l'entraîna à travers toute la pièce. Les autres ne tardèrent pas à leur emboîter le pas après avoir roulé le tapis de laine et repoussé les meubles contre les murs. Les gigues, les rondes, les quadrilles, les mazurkas, les marches, les galops et les valses papillon se succédèrent. Ragaillardi, Léon Roy, qui avait repris place près de la cheminée, battait la mesure du pied. Même mémère Major tapait des mains en cadence, un sourire illuminant son visage brun et ridé comme une pomme cuite. Pendant près de deux heures, on dansa, on rit, on cria, on sauta à en faire trembler le plancher et les murs, et on se bouscula à qui mieux mieux quand venait le temps de changer de partenaire.

Ce fut Mélina qui, épuisée et toute en sueur, cria grâce la première, en rappelant qu'il était temps de se préparer pour la messe de minuit.

— Pis on ira ni à pied ni en auto, annonça-t-elle d'un ton mystérieux, regardez, y'a une surprise dehors !

On se précipita pour écarter les rideaux de la fenêtre. Deux grands traîneaux attelés à des chevaux attendaient avec leur conducteur devant la maison. Durant la période des fêtes, ces pittoresques «taxis» à l'ancienne sillonnaient jour et nuit les rues de Saint-Boniface et de la capitale. Tout le monde poussa des «oh!» et des «ah!» émerveillés.

— C'est tout d'même plus romantique, ajouta Mélina, dont le regard semblait avoir rajeuni de plusieurs décennies.

Emmitouflés jusqu'aux yeux, tous les membres de la famille, excepté Léon Roy et mémère Major, qui avaient préféré monter se coucher, grimpèrent en riant dans les véhicules. Les conducteurs effleurèrent de leur fouet le dos de leurs bêtes, qui partirent au trot sous une fine neige. Sur la haute nuit étoilée, le gel ciselait avec une précision d'orfèvre les contours des maisons et des bâtiments de Saint-Boniface. De chaque côté de la chaussée, d'immenses bancs de neige étaient figés au garde-à-vous, pareils à des soldats en uniformes blancs. Seuls le tintement des grelots des chevaux et le crissement des patins des traîneaux sur le verglas troublaient le silence.

Une fois parvenus sur le boulevard Provencher, les réveillon-
neurs croisèrent d'autres attelages, quelques automobiles et
des fêtards munis de lanternes ou de bougies à collerette de
carton, qui leur lancèrent des «Joyeux Noël!». Puis la lumière
des réverbères éclaira des groupes de paroissiens qui grossis-
saient à mesure qu'on approchait de l'église. Les chevaux
tournèrent sur l'avenue Taché, le long de la rivière Rouge,
et s'arrêtèrent enfin devant la cathédrale, d'où s'échappaient la rumeur de grandes orgues et les premiers chants
d'une chorale. Mélina et ses hôtes traversèrent le cimetière et
pénétrèrent dans le lieu saint, en même temps qu'une foule
dense qui s'agenouilla avec piété.

La messe, à la fois solennelle et empreinte d'une grâce naïve,
fut célébrée par l'archevêque de Saint-Boniface, monseigneur Arthur Béliveau, dont la mitre et le manteau de soie
fileté d'or s'harmonisaient avec la splendeur des vitraux. Il
était secondé par plusieurs prêtres et de nombreux enfants de
chœur, eux aussi parés de leurs plus beaux atours de cérémonie. Une ferveur inhabituelle régnait sous les voûtes sonores,
accentuée par la fumée des encensoirs et l'odeur de centaines
de cierges. Leur lueur vacillante révélait dans le clair-obscur
le visage recueilli des statues de la Vierge, des saints et des
personnages de la crèche. Sous le regard attendri d'un cénacle
d'anges, un petit Jésus aux joues roses, nimbé de son auréole
et de ses cheveux blonds frisés, semblait s'être endormi, le
sourire aux lèvres.

Alors que les jeunes gens commençaient, pour leur part, à lutter contre le sommeil, Excide et Mélina chantaient à pleins poumons les cantiques et les hosannas, qui faisaient remonter en eux de poignantes réminiscences de leur enfance : *Adeste Fideles!*, *Nouvelle agréable!*, *Minuit chrétien!*, *Dans cette étable!*, *Les anges dans nos campagnes!* À la sortie de la cathédrale, les veilleux reprirent leurs taxis-traîneaux, tandis que les cloches sonnaient à toute volée dans le ciel glacial.

À leur retour les attendait encore une montagne de croquignoles dorées et croustillantes, saupoudrées de sucre. Ils s'en régalèrent jusqu'à satiété. Enfin, une partie d'entre eux prit congé après avoir remercié et félicité la maîtresse de maison pour sa réception exceptionnelle. Les autres gagnèrent leurs chambres en étouffant des rires et des bâillements.

Lorsqu'un silence complet eut recouvert la rue Deschambault, Gabrielle alluma une bougie et s'assit au pupitre de son petit grenier. Un rayon de lune s'inscrivait dans le halo de givre de la lucarne. Puis, ne voulant rien perdre de cette délicieuse soirée, elle ouvrit son journal intime. Dans la nuit brillaient les yeux noirs constellés d'étoiles de Mélina.

5

À la rentrée de janvier 1929, l'arrivée à l'École normale de Winnipeg d'une suppléante, Miss July Willis, révolutionna le cours de pédagogie jusqu'alors dispensé par monsieur McIntosh, un professeur que Gabrielle et ses camarades jugeaient ennuyeux, voire radoteur. À l'opposé de ce dernier et de bon nombre d'enseignants de l'institut, lesquels continuaient à transmettre les préceptes étroits et bornés d'un autre âge, cette jeune femme dans la fin de la vingtaine préconisait les méthodes qui prévalaient déjà depuis une dizaine d'années dans les Écoles normales des vieux pays. Élaborées par deux chercheurs suisses de renom, Hugo Gaudig et Édouard Claparède, elles étaient fondées avant tout sur l'écoute, l'épanouissement et la créativité de l'enfant au sein de l'école.

D'emblée, la remplaçante sut captiver ses étudiantes de première année par la nouveauté et l'originalité de ses idées. Les unes l'écoutaient bouche bée, les autres couvraient leur cahier de notes afin de ne pas perdre une miette de son savoir, d'autres encore la bombardaient de questions – au mépris du règlement de l'établissement qui leur imposait de ne s'exprimer qu'avec l'autorisation des professeurs –, tant était grande leur impatience de rattraper le retard qu'elles accusaient sur leurs collègues européennes.

— Mesdemoiselles, l'école de demain ne sera plus celle que vos ancêtres et vous-même avez connue, expliquait Miss Willis, dont les boucles blondes, les grands yeux bleus et le sourire sincère s'harmonisaient avec la beauté de son intelligence. Nous partons du principe que l'enfant est heureux à la maison – du moins l'espérons-nous –, alors pourquoi ne le serait-il pas aussi en classe ? Chaque jour, il devrait se rendre à l'école par plaisir et non par contrainte. Par conséquent, nous estimons que c'est elle qui doit s'adapter à lui et non le contraire. Le matin, par exemple, je vous suggère de commencer votre cours par la lecture et l'explication d'un conte ou d'un récit : non seulement son langage symbolique éveillera la curiosité et la sensibilité de vos élèves, mais en s'identifiant au héros, ils prendront confiance en eux et aussi conscience de l'importance de l'effort pour triompher des difficultés. Ensuite, vous passerez en douceur de l'enseignement d'une matière à une autre, en conservant une certaine logique dans le choix de vos thèmes et de vos sujets, car les enfants oublient très vite les notions sans liens les unes avec les autres : cela vaut également pour les personnages, les formes, les couleurs que vous utiliserez avec les plus petits. De la même façon, assurez-vous toujours qu'ils aient bien assimilé la récitation de leurs leçons : rien de plus facile que de les apprendre par cœur et de les débiter sans en comprendre le contenu, les mots ou les expressions. Surtout, et cela est très important, veillez à ne pas leur imposer ou leur inculquer des connaissances, mais à ce que celles-ci découlent de l'observation et de la recherche.

En d'autres termes, au lieu de leur bourrer le crâne, un exercice par définition stérile, stimulez chez eux la réflexion, le travail personnel, et aidez-les à acquérir des techniques qui leur seront utiles toute la vie. Enfin, soyez toujours créatives, mesdemoiselles, ainsi vous éviterez d'ennuyer vos élèves… et de vous ennuyer vous-mêmes !

Ces théories, diffusées de manière claire et vivante, enthousiasmaient d'autant plus les normaliennes que Miss Willis les leur faisait mettre par la suite en application. Ainsi, afin de les préparer à leurs examens de fin d'année et à leur futur rôle d'éducatrices, s'attachait-elle à recréer dans la salle de cours les conditions d'une vraie classe de niveau primaire. Réunies par petits groupes, les étudiantes devenaient tour à tour des écolières, des institutrices, des directrices d'école et même des inspectrices chargées de juger et de noter leurs subalternes. Bien entendu, les fausses enseignantes s'arrangeaient toujours pour gronder leurs fausses élèves, qui entraient volontiers dans le jeu en répondant de travers à leurs questions ou en se livrant à des pitreries : l'on voyait alors Miss Willis froncer les sourcils lorsque les premières menaçaient, sous les rires, de leur administrer de mauvais points, des punitions et même des fessées. Ces travaux pratiques, tout en permettant aux jeunes filles d'acquérir des rudiments de pédagogie et de l'aisance à l'oral, prenaient une allure de saynètes de théâtre.

Ils débouchaient le plus souvent sur un beau chahut, mais par chance, le bureau du directeur se trouvait dans une autre aile de l'établissement.

Sous l'influence de cette passionnante jeune pédagogue, Gabrielle, qui en avait fait son modèle, prenait ses études de plus en plus à cœur. Elle redoublait d'ardeur à la tâche, révisait sans cesse ses leçons et surveillait plus que jamais la qualité de son expression écrite. Elle s'entraînait même dans sa chambre à faire la classe à des écoliers imaginaires en imitant le parler, les intonations de voix et les gestes de Miss Willis. Sans avoir la prétention de devenir son élève favorite – la suppléante traitait d'ailleurs toutes les filles sur le même pied d'égalité –, Gabrielle s'efforçait de lui donner entière satisfaction. Ayant encore délaissé l'écriture à la fin des vacances de Noël pour se consacrer à son travail scolaire, elle était bien près de considérer l'enseignement comme sa véritable vocation.

Cependant, comme il lui arrivait de plus en plus souvent de penser, de se parler à elle-même et de rêver la nuit en anglais, elle commença à s'interroger sur le bien-fondé de l'application des méthodes de la remplaçante à des élèves qui allaient être contraints, comme elle-même l'avait été, d'effectuer leurs études dans une langue étrangère. Sans penser le moins du monde qu'elle pourrait l'indisposer ou s'attirer une réaction antipathique de sa part, elle se promit d'éclaircir ce point avec elle à la prochaine occasion.

* * *

Celle-ci se présenta une fin d'après-midi de février, après un cours qui avait une nouvelle fois porté sur le développement de l'enfant. Gabrielle demanda la parole et se leva poliment :

— Miss Willis, j'ai une question un peu particulière à vous poser, mais cela fait un moment qu'elle me trotte dans la tête.

— Eh bien, je vous écoute, Gabrielle ! l'encouragea l'enseignante.

— Voilà : comme mes camarades, je suis bien d'accord avec vous que l'école doit se construire autour de la personnalité de l'enfant. Mais prenons le cas d'un écolier de langue française qui fréquente par obligation un établissement de langue anglaise : ses instituteurs vont donc le mettre dans le même moule que ses petits camarades canadiens-anglais. Alors, pensez-vous, Miss Willis, qu'il ait quelque chance de voir un jour sa personnalité s'épanouir ? Il y a peut-être là une contradiction entre la théorie et la pratique, non ?

Dans la classe, un silence de mort accueillit la hardiesse de ces paroles. Des dizaines de paires d'yeux, à la fois surpris et désapprobateurs, se tournèrent vers Gabrielle. Rouges de honte, ses compatriotes de Saint-Boniface se firent petites. Assurément, elle avait mis le doigt sur un sujet tabou : les divisions entre les Canadiens anglais et les Canadiens français, qui étaient au cœur du pays, du Manitoba en particulier, et l'oppression dont ceux-ci se sentaient victimes de la part des premiers. Mais il était trop tard pour faire marche arrière et d'ailleurs, la jeune fille avait désormais acquis assez d'assurance et de maturité pour assumer ses propos.

Sans laisser à Miss Willis le temps de répondre, Mary Ann Ashton, l'ancienne ennemie de Gabrielle, qui était aussi l'étudiante la plus affirmée de la classe, persifla :

— *Hey, Gabrielle, are you trying to provoke us?* (Hé, Gabrielle, cherches-tu à nous provoquer ?)

— *Not at all, Mary Ann, I am just asking a question… trying to understand* (Pas du tout, Mary Ann, je pose juste une question… j'essaie de comprendre), rétorqua celle-ci avec calme et sang-froid.

— *You'd better ask your silly question to Miss Macdonald, the mistress dragon, and you'll see what will be her answer!* (Pose plutôt ta fichue question à Miss Macdonald, la maîtresse-dragon, et tu verras ce qu'elle te répondra !) lança à son tour Daisy Fielding, la complice de Mary Ann, faisant allusion au professeur le plus craint de la classe.

Quelques rires fusèrent çà et là, vite interrompus par Miss Willis. Cette dernière semblait quelque peu décontenancée par l'intervention de la jeune Bonifacienne mais ne manifestait aucun signe d'hostilité à son égard.

— Mesdemoiselles, laissez-moi répondre à votre camarade, reprit-elle, elle est libre de me poser toutes les questions qu'elle souhaite, et puis vous m'obligeriez en respectant vos autres professeurs. Gabrielle, j'avoue que je ne m'étais jamais interrogée à ce sujet et que vous me prenez au dépourvu. Néanmoins, je vais tâcher de vous éclairer. Les langues ont été créées pour communiquer avec nos semblables, mais elles sont, hélas!, souvent source de malentendus. Chez nous, cette question est pour le moins délicate, compliquée. En fait, je ne vois d'autre solution pour ce petit élève canadien-français que de travailler très fort en anglais, jusqu'à devenir le meilleur de sa classe. Mais… il faut aussi qu'il continue à étudier en français chez lui, qu'il conserve sa langue natale et lui demeure fidèle.

Miss Willis avait conscience de s'être elle-même aventurée sur un terrain miné. Comment allaient réagir les étudiantes canadiennes-anglaises les plus arrogantes et les plus convaincues de la suprématie de leur langue? Toutefois, elle poursuivit courageusement sur sa lancée:

— Oui, cet écolier doit exceller en toute chose et maîtriser aussi bien l'anglais que le français. Il en va de même pour vous, Gabrielle. Je sais que je ne devrais pas vous dire cela mais je connais votre parcours et dans votre intérêt, dans celui de votre communauté, vous allez devoir… hum, faire comme vos anciens professeurs : non seulement enseigner notre langue à vos élèves, mais aussi le français, le plus souvent possible, et… sans vous faire prendre, cela va de soi !

Des rires saluèrent cette dernière remarque. Miss Willis avait réussi à désamorcer la polémique qui aurait pu éclater d'un instant à l'autre dans la classe. Du reste, si quelques poignées de filles suivaient ce débat avec intérêt, bon nombre d'entre elles en avaient décroché pour bavarder ou s'occuper à autre chose.

— Ce que je vais vous confier est tragique, Gabrielle, renchérit le professeur, mais les minorités comme la vôtre doivent affirmer leur supériorité, sinon elles sont condamnées à disparaître.

— Je comprends et je vous remercie pour votre franchise, Miss Willis, répondit Gabrielle avec un sourire admiratif. Je crois bien que vous avez raison. Voyez-vous, beaucoup de jeunes de Saint-Boniface et des villages canadiens-français sont obligés d'aller s'établir dans la mère-patrie, je veux dire au Québec, parce qu'ils ne parlent pas anglais ou pas assez bien, du moins, pour trouver du travail à Winnipeg.

— Le Québec est-il votre pays, à vous aussi ?

— Oui… enfin, non… ce sont mes parents et mes grands-parents qui viennent de là-bas. C'est plutôt le pays de mes ancêtres.

— Donc, votre pays, c'est le Manitoba ?

— Oui… du moins y suis-je née. Mais vous savez, il m'arrive souvent de m'y sentir étrangère.

— Alors, avez-vous, vous aussi, l'intention de partir un jour au Québec ?

— Oui… non… enfin, j'aimerais bien, mais pas tout de suite, bien sûr. D'un autre côté, je préférerais rester vivre et travailler au Manitoba.

— Avez-vous déjà voyagé là-bas ?

— Non, jamais… ou plutôt si, une fois, avec ma mère qui y était allée visiter de la parenté, mais comme j'étais toute petite, je n'en ai pas gardé grand souvenir.

— Il vous faudra y retourner au moins une fois pour voir lequel des deux pays vous convient le mieux. Je crois, Gabrielle, que vous serez confrontée à des choix difficiles dans votre vie…

Le jeune professeur n'avait pas plus tôt prononcé ces paroles que l'on frappa à la porte. Sans attendre de réponse, le directeur fit irruption dans la salle, le front soucieux. Toute la classe se tut aussitôt et se leva d'un même élan. Debout à sa chaire, Miss Willis pâlit, rougit, pâlit à nouveau : elle était persuadée que le docteur McIntyre l'écoutait depuis le début de son cours derrière la porte et que ses propos subversifs allaient lui valoir un sermon bien senti, sinon pire encore, son renvoi de l'école.

— Restez assises, mesdemoiselles, je ne viens pas pour vous, déclara le dirigeant. Ni pour vous, Miss Willis, ajouta-t-il en lui adressant un léger signe de tête, au grand soulagement de la suppléante.

Sans hésitation, il se dirigea vers Gabrielle et pencha sa haute silhouette vers elle. Craintive, celle-ci leva son regard pers vers le docteur McIntyre et rencontra le sien : derrière ses lunettes cerclées d'acier, elle crut déceler une lueur de compassion tout au fond de ses pupilles noires.

— *Poor young girl, poor young girl…* (Pauvre jeune fille, pauvre jeune fille…) fit-il alors d'une voix très douce ; et il posa la main sur la joue de l'étudiante, dans un geste d'affection auquel on ne se serait jamais attendu de la part d'un homme d'ordinaire si glacial. *One of your sisters has just called… You must hurry home.* (Une de vos sœurs vient de téléphoner… Vous devez rentrer très vite à la maison.) Puis, poursuivant à la stupéfaction générale en français, en roulant les « r » à la manière écossaise : votre pauvre papa… il est… enfin, il est…

6

Le sol s'était dérobé sous les pieds de Gabrielle. Ses jambes s'entrechoquaient et elle était devenue d'une pâleur de marbre. La tête lui tournait tant que, si elle ne s'était pas retenue à son pupitre, elle se serait sans doute évanouie. Les paroles du directeur résonnaient encore à ses oreilles, lointaines, comme dans un rêve. Elle ouvrit la bouche, pareille à un poisson jeté sur le sable et cherchant désespérément sa respiration, mais aucun son n'en sortit. À présent, toute la classe avait les yeux braqués sur elle : le regard de ses compagnes exprimait une profonde sympathie à son égard. Même Mary Ann Ashton et sa bande la dévisageaient avec un air de pitié sincère.

— Voulez-vous que je demande à un employé de vous reconduire jusqu'à la maison ? demanda le docteur McIntyre.

— Ou préférez-vous un peu d'argent pour prendre un taxi ? lui fit écho Miss Willis.

À l'annonce de la nouvelle, cette dernière était accourue auprès d'elle pour tenter de la réconforter.

— Non merci, ça ira, répondit Gabrielle dans un souffle.

Reprenant peu à peu pied dans la réalité, elle fourra pêle-mêle ses affaires dans son cartable, enfila son manteau et sortit avec précipitation de la classe. Elle courut comme une folle le long de l'avenue William pour attraper un tramway. Elle était dans un tel état de choc qu'elle ne sentait même pas le froid carnassier lui mordre le visage, s'infiltrer dans ses narines, brûler ses poumons. À cette période de l'année, conjuguée avec le vent qui soufflait en rafales sur les avenues Main et Portage, la température pouvait baisser jusqu'à -50 °C dans le centre-ville de Winnipeg. Les pensées les plus chaotiques se bousculaient dans l'esprit de la jeune fille :

— Non, ce n'est pas possible ! Je vais rentrer à la maison et retrouver père comme d'habitude dans la cuisine, devant son café… Et si ce n'était qu'un mauvais rêve ? Oui, c'est cela, c'est un cauchemar et je vais me réveiller… Mais le directeur de l'école n'aurait pas pris la peine de se déplacer pour rien… Et s'il s'était trompé ? S'il s'agissait du père d'une autre fille ?… Non, il n'aurait jamais commis pareille erreur… Papa était sans doute bien malade…

Quelques jours auparavant, victime d'un brusque malaise, Léon Roy avait été admis aux urgences de l'hôpital. Avec l'optimisme de sa jeunesse, Gabrielle avait cru à une indisposition passagère et poursuivi ses études sans se faire trop de souci à son sujet. Elle s'attendait à son retour imminent à la maison. Mais à présent, tout était fini.

Dans son trouble, elle laissa échapper son cartable, dont le contenu se répandit sur le trottoir, et manqua sa correspondance, un peu avant le pont Provencher. Le conducteur du tramway leva les bras au ciel pour lui signifier qu'il ne pouvait pas l'attendre. En tout, elle mit une heure pour parvenir jusque chez elle.

Livides et en habits de deuil, Mélina et tous ses enfants – sauf l'aîné, Joseph, qui était demeuré introuvable – se tenaient debout dans le salon, plongé dans la pénombre. Les rideaux avaient été tendus de noir. On avait enlevé tous les meubles, excepté le piano, trop lourd pour être transporté, qu'on avait recouvert d'un crêpe de la même teinte. Des carrés de dentelle également noirs voilaient les portraits et les cadres sur les murs.

En entrant, Gabrielle faillit heurter sa sœur Adèle. Cette dernière était arrivée quelques jours plus tôt de Duvernay, en Alberta, pour rendre visite au malade.

— Ah te voilà, toi! s'exclama-t-elle d'un ton aigre, tu en as mis du temps!

— Je suis venue en tramway, bredouilla l'étudiante, le plus vite que j'ai pu, mais il y avait du monde, de la circulation…

— Tu ne pouvais pas prendre un taxi? Ou alors quelqu'un ne t'a pas proposé de t'amener jusqu'ici?

— Si, mais maman dit toujours qu'on ne doit être redevable de personne.

Adèle haussa les épaules en levant les yeux au ciel.

— Quoi qu'il en soit, tu arrives trop tard, père nous a quittés il y a près de deux heures.

Afin de couper court à ces reproches, Bernadette, la religieuse, s'avança aussitôt. À titre exceptionnel, la communauté des sœurs des Saints Noms de Jésus et de Marie l'avait autorisée à laisser son poste en Ontario pour se rendre au chevet de son père.

— Il n'a pas souffert, dit-elle en entourant d'un bras affectueux les épaules de sa jeune sœur. Dieu ne pouvait qu'épargner un homme si bon des souffrances d'une longue agonie.

Mais Gabrielle n'avait d'yeux que pour le cercueil dans lequel gisait Léon Roy, au centre du salon. Ce dernier était vêtu du vieux costume bleu qu'il avait porté le soir de la fête de Noël : sans doute le dernier moment de joie qu'il avait vécu ici-bas. Les quatre hauts cierges qui encadraient la bière éclairaient son visage de cire, maintenant apaisé et détendu, presque rajeuni. Toute l'affliction qui s'y était gravée après la perte de son travail, il y avait pourtant bien longtemps de cela, avait mystérieusement disparu. Les membres de la famille Landry, le mari d'Anna, leurs enfants, ainsi que des voisins priaient à genoux autour de lui. Gabrielle s'agenouilla à leurs côtés et éclata en sanglots, le visage dans les mains.

— Ah, il est bien temps de pleurer maintenant ! siffla Adèle. Larmes de crocodile que tout cela. Tu n'es même pas venue le voir à l'hôpital ! Il t'a attendue, que faisais-tu donc ?

— Tu sais bien comment elle est, fit observer Clémence, elle était à la patinoire avec ses amis.

— Rien de surprenant, en effet, elle ne pense qu'à elle. Elle s'est toujours pas mal moquée de notre père !

— Ce n'est pas vrai, hoqueta Gabrielle, je révisais mes cours en prévision des examens de février. Et puis je ne m'étais pas rendu compte qu'il allait si mal !

— Mes sœurs, mes sœurs, comment pouvez-vous faire preuve d'autant de méchanceté dans un moment pareil ? s'écria Sœur Léon-de-la-Croix en lançant un regard sévère aux deux premières. Vous manquez de respect à père et à Notre-Seigneur. J'ose espérer que c'est le chagrin qui vous égare.

— Oui, taisez-vous, voyons ! protestèrent Anna et leur frère Rodolphe.

Les querelleuses firent immédiatement silence. Gabrielle se remit à pleurer. Elle était si absorbée par sa détresse qu'elle remarqua à peine que son frère Germain, l'instituteur, était venu par gentillesse se placer près d'elle. En apprenant par téléphone que la condition de son père empirait et bien qu'il se fût depuis longtemps éloigné de la famille, il avait sauté dans le premier train de South Forks, en Saskatchewan, et voyagé toute la nuit. C'était un beau jeune homme au teint clair, qui ressemblait à sa benjamine avec ses cheveux blond roux, peignés en arrière, ses yeux pers et sa bouche finement ourlée. Mélina s'agenouilla à son tour entre ses deux enfants : les lèvres tremblantes, elle contemplait avec ferveur le visage du compagnon dont elle avait partagé quarante-trois ans durant les bonheurs et surtout les malheurs du quotidien. Puis elle attira sa petite dernière dans ses bras et les deux femmes mêlèrent longtemps leurs larmes, avant de déposer un baiser sur le front du défunt. Même le chat Méphisto vint lui faire ses adieux : comme il miaulait à fendre l'âme dans la cuisine, Mélina lui avait ouvert la porte et il s'était précipité vers la dépouille de son maître. Posant avec délicatesse une patte sur sa joue, il lécha une dernière fois les cheveux blancs qui lui couvraient les tempes.

Les obsèques de Léon Roy furent célébrées dans une grande sobriété à la cathédrale de Saint-Boniface. De nombreux paroissiens y assistèrent, sans doute plus par respect des convenances que par sympathie pour le disparu, car il vivait reclus depuis de longues années, entretenant peu de contacts avec la population. En raison du froid terrible qui sévissait, on plaça ses restes dans un charnier en moellons, auquel le toit pentu en tôle, posé sur une charpente de bois, conférait l'aspect d'une chaumière québécoise : l'inhumation n'aurait lieu qu'au printemps. Pendant ce temps, Bernadette éloignait Gabrielle afin de lui épargner un nouveau choc.

De retour à la maison, Mélina qui, jusqu'ici, avait fait face avec un courage admirable à cette épreuve, laissa libre cours à son abattement, en proie à une véritable crise de nerfs. Au chagrin qu'elle éprouvait d'avoir perdu son mari se mêlait sa peur viscérale de l'avenir.

— Mon doux, qu'est-c'que j'vas devenir ! Qu'est-c'que j'vas devenir ! gémissait-elle en se prenant la tête à deux mains.

Ses enfants s'empressèrent aussitôt de la rassurer.

— Calmez-vous, maman, dit Germain, père vous a laissé un peu d'argent et il vous reste aussi la terre qu'il avait achetée autrefois à Dollard, en Saskatchewan. Vous pourrez toujours la revendre si vous avez besoin.

— Oui, ne vous en faites pas, vous ne serez jamais à la rue, confirma Adèle. Vous pourrez également prendre des pensionnaires, il y a bien assez de pièces libres dans la maison. Et puis nous vous enverrons à tour de rôle une petite somme, n'est-ce pas, vous autres ?

Tous acquiescèrent.

— De plus, quand je serai institutrice, je pourrai vous aider, moi aussi, renchérit Gabrielle à travers ses larmes.

* * *

La jeune fille demeura les yeux ouverts une grande partie de la nuit. Elle écoutait le vent des prairies qui mugissait comme un bison à sa lucarne. Pourquoi son père n'était-il pas couché dans sa chambre douillette, au premier étage de la maison ? Allait-il désormais toujours dormir dehors ? Avait-il froid dans son lit de pierre ? Elle imaginait ce vent glacial se glisser par la cheminée de l'édicule dans lequel il reposait : il projetait des flocons de neige sur son corps, dispersait les dentelles de son oreiller et les pétales du bouquet de roses qu'elle avait déposé entre ses mains ; puis il balayait son âme comme une feuille morte pour l'emporter très loin, toujours plus loin, au cœur de la plaine. Celle-ci finirait-elle par rejoindre l'une de ces petites colonies qu'il avait tant aimées et où il avait passé les moments les plus heureux de sa vie ?

Le lendemain, elle eut la surprise de recevoir une gentille lettre du docteur McIntyre. Non seulement ce dernier lui offrait ses condoléances en des termes délicats, mais il lui conseillait de prendre quelques jours de repos avant de revenir à l'école.

— Quel homme étrange, se dit Gabrielle, c'est comme s'il y avait deux êtres en lui : l'un, impénétrable, l'autre, renfermant des trésors de bonté. Peut-être a-t-il beaucoup souffert, lui aussi, et cache-t-il ses blessures sous ce masque de rigidité.

Après le départ de ses frères et sœurs, elle erra comme une âme en peine dans la maison. Tout la ramenait au souvenir de son père. Même s'il avait toujours été peu loquace et qu'il était devenu, les derniers temps de sa maladie, aussi discret qu'une ombre, un silence inhabituel s'était installé dans la demeure. Dans le salon, elle croisa le regard de ses grands-parents paternels, Charles Roy et Marcellina Morin, dont le portrait était accroché au mur : ce couple réputé dur et intransigeant, qu'elle n'avait jamais rencontré mais qui lui inspirait une crainte instinctive quand elle était petite, semblait la fixer d'un air réprobateur. Elle sentit une foule de regrets l'envahir. Pourquoi n'avait-elle pas rendu une dernière fois visite à son père à l'hôpital ? Pourquoi n'avait-elle pas cherché à communiquer davantage avec lui au cours de sa vie ? Et surtout, pourquoi ne lui avait-elle jamais dit combien elle l'aimait ? Étrangement, c'était maintenant qu'il était parti qu'elle avait le plus envie de se rapprocher de lui. Comme il lui manquait déjà !

Sur un autre mur, un médaillon ovale, doré à la feuille, conservait une photographie sépia de lui au même âge qu'elle. Qu'il était jeune et beau alors, avec ses cheveux ondulés, ses yeux clairs et son sourire débordant d'énergie, de confiance en lui-même et en l'avenir ! Jusqu'alors, elle n'avait jamais remarqué à quel point elle lui ressemblait. Mais elle n'avait pas connu cet homme-là : seulement un vieillard usé, replié sur lui-même et acariâtre. Pourtant, il lui avait maintes fois témoigné son amour dans le passé, lorsqu'il la promenait dans sa brouette tout autour du jardin, en souriant devant ses éclats de rire, qu'il lui offrait ses plus belles roses et lui racontait le soir des histoires puisées dans ses livres ou dans son propre vécu. C'est après qu'ils s'étaient petit à petit éloignés l'un de l'autre, jusqu'à se perdre de vue alors qu'ils vivaient sous le même toit, incapables de s'avouer leur affection mutuelle. Mais il était trop tard pour revenir en arrière.

Elle entra dans son bureau, qui jouxtait le salon. En dépit du désordre qui y régnait, celui-ci paraissait cruellement vide. Sur le bureau à cylindre s'entassaient des piles de dossiers remontant à l'époque des tournées de Léon Roy dans l'Ouest, qu'il avait souvent relus avec nostalgie. Jamais plus il ne s'y assoirait, alors que son carnet de notes, couvert d'une petite écriture fine et serrée, l'attendait encore et que l'encre avait à peine séché sur son porte-plume.

Au-dessus de l'écritoire trônait un grand portrait de l'ancien premier ministre Wilfrid Laurier, qui lui avait donné sa chance dans la vie et auquel il était toujours demeuré fidèle ; et cela, même si cet homme politique était en grande partie responsable des injustices linguistiques qui accablaient les Canadiens français du Manitoba. Dans un coin de la pièce, il avait roulé des cartes d'état-major, sur lesquelles étaient encerclés tous les endroits où il avait fondé des colonies. À quoi avait donc servi cet énorme labeur puisqu'au bout du compte tout s'arrêtait ? Au moins, il avait rendu des gens heureux : ces centaines, ces milliers de pionniers qui, fuyant la misère, la guerre ou les persécutions religieuses qui déchiraient la planète, avaient remis sans réserve leur destin entre ses mains.

Malgré le fouillis de cadres et de tableaux qui encombrait les murs, Gabrielle se représentait la mort comme une surface nue, opaque, fermée, contre laquelle elle se heurtait sans comprendre et qu'il lui était impossible de traverser. Elle enviait la foi inébranlable de sa sœur Bernadette, qui n'avait jamais douté un seul instant qu'il y eût une vie de l'autre côté. Mais comment pouvait-elle le savoir ? Le Christ qu'elle avait choisi de suivre lui avait-il ouvert une porte pour lui en révéler l'un des mystères ? Alors, peut-être reverrait-elle un jour son père... Mais sous sa forme humaine ou sous une autre apparence ? Celle d'un ange, d'une poussière d'étoiles, d'une lumière au bout de la plaine ? Ou bien celle d'une rose, sa fleur préférée, ou encore celle d'une essence inconnue sur cette terre ?

Épuisée par ces interrogations qui se succédaient sans fin dans son esprit en la faisant redoubler de larmes, elle monta s'étendre sur son lit. Elle ne pouvait plus demeurer ainsi, hantée par un fantôme qu'elle poursuivait en vain d'une pièce à l'autre. Et puis que penserait le défunt s'il voyait sa « Petite Misère » dans un tel état, incapable de faire quoi que ce soit ?

Au-dehors, le soleil illuminait le firmament bleu azur, dont un pan s'encadra dans la fenêtre de la lucarne : malgré le froid intense qui perdurait, il faisait toujours beau l'hiver, au Manitoba. Tout d'un coup, c'était comme si son père lui tendait un coin de ciel en guise de mouchoir pour essuyer ses pleurs. La douleur qui lui tenaillait le ventre s'apaisa peu à peu et elle se reprit à croire et à espérer. En attendant leurs retrouvailles, quelque part dans le vaste univers du ciel ou de la plaine, un long chemin s'ouvrait devant elle ; un chemin qu'il lui fallait désormais accomplir seule, sans lui. Alors elle le ferait, pour lui. Car elle était, à son image, de la trempe des pionniers, de ceux qui étaient venus de très loin, animés par une force irrésistible qui les poussait à entreprendre, à édifier et à créer quelque chose de neuf dans ce pays – quels qu'en fussent le prix à payer et le résultat. Elle serra les poings sur son oreiller : elle décrocherait son diplôme d'institutrice pour faire honneur à la mémoire de son père. Elle se prouverait à elle-même et prouverait au monde qu'elle était bien la fille de Léon Roy.

7

La vie reprit petit à petit son cours dans la maison de la rue Deschambault. Après avoir beaucoup pleuré, les trois femmes, Mélina, Clémence et Gabrielle, vaquèrent de nouveau à leurs occupations. La mère de famille se remit à garder des enfants dans le quartier, à effectuer des travaux de couture et de buanderie à domicile, et prit deux étudiants en pension. La trouvant aussi gentille qu'attentionnée, ceux-ci l'appelaient «maman Roy», la faisaient rire, et ramenèrent si bien la joie de vivre dans la maisonnée qu'un beau matin, Mélina se surprit à chantonner comme avant devant ses fourneaux. Selon son habitude, Clémence se consacrait aux tâches ménagères. Quant à Gabrielle, elle avait cessé au bout de quelque temps de chercher son père de pièce en pièce et de l'attendre à l'heure des repas. Elle s'était replongée dans ses études pour noyer son chagrin, ne quittant ses livres et ses cahiers que pour aller faire du sport ou pour sortir avec ses camarades de classe.

Dès son retour à l'École normale, le docteur McIntyre l'avait prise sous son aile avec une sollicitude toute pater-nelle. Impressionné par le courage et la ténacité de cette jeune Canadienne française, désormais orpheline de père et dont la mère se retrouvait dans une situation précaire,

il l'invitait parfois dans son bureau pour discuter avec elle
de ses projets et de son avenir. En plus de ses intentions de
devenir une bonne institutrice, il encouragea ses ambitions
littéraires. Bientôt, elle se sentit suffisamment à l'aise en sa
présence pour lui demander de lui expliquer quelques points
de grammaire anglaise qu'elle n'osait pas aborder avec son
professeur, l'autoritaire Miss Macdonald. Tout en conservant
son air imperturbable, il accepta volontiers de lui donner des
cours particuliers, ce qui lui permit d'améliorer ses résultats
déjà très prometteurs.

Enfin, le grand jour de la remise des brevets d'institutrice
arriva. C'était le 21 juin et il faisait une chaleur telle que le
docteur McIntyre décida de faire une entorse à la coutume
en organisant la cérémonie dans la classe la plus spacieuse de
l'établissement, et non dans la cour. Une foule compacte y
prit place, dans une ambiance à la fois bruyante et solennelle.
Les représentants du Department of Education et les professeurs étaient assis au premier rang, parmi lesquels Miss July
Willis, la spécialiste de pédagogie, qui, une fois sa suppléance
achevée, avait obtenu un poste permanent en dépit de son
enseignement d'avant-garde. Derrière eux, on avait placé les
lauréates, toutes revêtues de l'habit académique : une toge
bleue à rabat blanc et un mortier de la même couleur, d'où
retombait un gland garni de franges. Parmi ses camarades,
Gabrielle, qui, elle aussi, avait passé ses examens avec

succès, attendait avec fébrilité le résultat de son classement. Le personnel de l'école ainsi que les parents et les amis des étudiantes occupaient les dernières rangées.

Le directeur grimpa sur l'estrade, les bras chargés de rouleaux de parchemin scellés par un cachet de cire à rubans, qu'il déposa sur la chaire. Il paraissait plus détendu qu'à l'accoutumée et un léger sourire errait sur ses lèvres. Après avoir prononcé un bref discours de bienvenue et de remerciement, il entama la distribution des diplômes :

— Première : Miss Jane McGillivray.

Sous une salve d'applaudissements, l'étudiante s'avança vers la tribune pour recevoir son certificat. Le docteur McIntyre lui serra la main en lui adressant quelques mots de félicitations, puis elle regagna sa place.

— Seconde : Miss Laura Montgomery. Troisième…

Le directeur marqua alors une courte pause pour ménager le suspense :

— Miss Gabrielle Roy !

N'en croyant pas ses oreilles, l'intéressée demeura interdite, comme paralysée sur sa chaise.

— Eh bien, Miss Roy, vous ne voulez pas de votre diplôme ? s'enquit le directeur, un brin de moquerie dans la voix.

Des rires s'élevèrent dans la salle.

Elle se leva enfin et, posant la main sur sa poitrine comme pour comprimer les battements de son cœur, se dirigea vers le docteur McIntyre. Ce dernier la regardait avec une expression attendrie et, pour la première fois, un vrai sourire éclaira son visage.

— Félicitations, Miss Roy, lui dit-il, je suis très content pour vous.

Gabrielle prit son brevet en tremblant et chercha des yeux sa mère dans la foule. Perdue tout au fond de la salle, Mélina, en tenue de deuil, avait sorti un mouchoir de son sac à main et essuyait des larmes d'émotion. La jeune fille lui adressa un sourire triomphant. Elle s'apprêtait à retourner s'asseoir lorsque le proviseur la retint par le bras :

— Un instant. Mesdames et messieurs, j'aimerais souligner que c'est la première fois qu'une étudiante canadienne-française se classe d'une façon aussi brillante dans notre établissement. J'ai l'honneur de récompenser aujourd'hui une élève exceptionnelle. Je suis non seulement convaincu qu'elle deviendra une très bonne institutrice, mais qu'elle fera son chemin dans la vie.

Un tonnerre d'applaudissements accueillit ces paroles. Rouge de confusion, Gabrielle balbutia des remerciements et rejoignit sa rangée tandis que la cérémonie se poursuivait.

Une fois la collation des titres terminée, la nouvelle diplô-mée se précipita vers sa mère et l'embrassa avec effusion.

— Si ton père voyait ça, si ton père voyait ça! ne cessait de répéter Mélina en se tamponnant les yeux, mon doux, comme y serait fier!

Dans la salle, toutes les lauréates, Canadiennes anglaises et Canadiennes françaises mêlées, riaient, criaient et sautaient de joie. Gabrielle flottait sur un petit nuage. De toutes parts, on accourait pour la complimenter, l'embrasser et partager sa réussite. Plusieurs personnes s'étaient spécialement dépla-cées de Saint-Boniface pour assister à l'événement: il y avait là sœur Marie-Diomède, la directrice de l'Académie Saint-Joseph, sœur Émilie-du-Crucifix, son ancien professeur de français, d'autres religieuses, des amis. Puis les enseignants de l'École normale vinrent à tour de rôle lui serrer la main. La sévère Miss Macdonald s'avança vers elle en applaudissant, un petit sourire au coin des lèvres. Quant à Miss Willis, elle se réjouissait tant qu'elle l'attrapa aux épaules et lui appliqua deux baisers sonores sur les joues. Enfin, ses camarades de classe se pressèrent autour d'elle pour lui donner l'accolade. De loin, Mary Ann Ashton brandit son propre diplôme en lui lançant un clin d'œil. Même la grasse Daisy Fielding, qui avait été recalée et s'apprêtait à quitter l'école pour suivre une autre direction, lui donna une tape amicale dans le dos.

Un léger goûter clôtura cette après-midi de fête, puis Mélina et Gabrielle s'en retournèrent prendre le tramway, bras dessus bras dessous et en chantant.

* * *

Quelques semaines plus tard, la jeune fille reçut une lettre de convocation du docteur McIntyre. Intriguée, elle se rendit dès le lendemain matin à l'institut et frappa à la porte de son bureau.

— Entrez ! répondit le directeur d'une voix agacée, qui se radoucit dès que Gabrielle pénétra dans la pièce. Ah, c'est vous, Miss Roy ! Je ne vous attendais pas si tôt, merci d'être venue aussi vite.

Il se leva de son pupitre en esquissant un sourire et lui donna une vigoureuse poignée de main avant de se rasseoir.

— Prenez place. Eh bien, que faites-vous de vos vacances ?

— Oh, pas grand-chose, monsieur le directeur, je me repose.

— Je comprends, vous le méritez tant ! Vous écrivez, peut-être ?

— Non, je lis sur la galerie de notre maison, je me promène, je vois quelques amis.

— Bien sûr, bien sûr, vous avez raison d'en profiter.

Le principal reprit un air sérieux pour se saisir d'une liasse de papiers administratifs.

— Bon, voilà : je n'ai pas eu trop de peine à placer vos camarades canadiennes-anglaises pour la rentrée scolaire. En ce qui vous concerne, je ne suis pas en mesure de vous proposer quelque chose à Saint-Boniface : non seulement tous les postes sont comblés, mais aucune école n'accepterait une débutante, aussi remarquable soit-elle. Néanmoins, j'ai peut-être une opportunité pour vous. Malgré les chicanes qui nous opposent, nous, les gens du Department of Education, et les commissions scolaires canadiennes-françaises, je me suis entretenu au téléphone avec l'une d'entre elles. Dites-moi, connaissez-vous Marchand ?

— Non, pas du tout. Je ne sais même pas où cela se trouve !

— C'est un petit village de plaine, situé près de La Broquerie, à environ cinquante milles au sud-est de Winnipeg. Bien sûr, ce n'est pas l'idéal. En plus, il s'agit d'une suppléance de tout au plus trois mois et vous ne serez pas très bien payée. Cela vous intéresse-t-il quand même ?

Les yeux de Gabrielle brillèrent de bonheur.

— Oh, oui, absolument, monsieur le directeur ! Je prendrai ce qui se présente et puis il faut bien que j'aide ma mère financièrement.

— Je n'en attendais pas moins de vous. Ainsi acquerrez-vous de l'expérience en attendant que je vous trouve autre chose de plus, disons, conforme à vos résultats académiques et à vos attentes.

— Mais je suis ravie de cette affectation, monsieur le directeur! J'ai même hâte de commencer, vous savez.

— Bon, alors affaire conclue. Vous recevrez votre arrêt de nomination dans quelques semaines, accompagné de tous les détails afférents à ce poste. Il ne vous restera plus qu'à me renvoyer les papiers avec votre signature, ainsi qu'à la commission scolaire de Marchand. D'ici là, réfléchissez à votre programme d'enseignement et continuez à vous détendre.

Le dirigeant se leva de nouveau pour raccompagner son interlocutrice jusqu'à la porte.

— Si vous avez besoin de quelque chose ou de conseils, n'hésitez pas à me joindre, ajouta-t-il en la regardant droit dans les yeux et en lui serrant longuement la main.

— Je ne manquerai pas de vous écrire de là-bas, docteur McIntyre, encore merci pour tout ce que vous avez fait pour moi.

— Ne me remerciez pas, vous devez tout à votre travail et à… votre talent. Bonne route, Miss Roy!

De retour à la maison, Gabrielle se précipita à la cuisine pour annoncer la bonne nouvelle à sa mère. Elle l'enlaça et, l'entraînant dans un tourbillon, se mit à crier :

— J'ai du travail ! J'ai du travail !

— Mais laisse-moé, voyons, tu m'donnes l'vertige ! se défendit Mélina en riant, c'est-y des façons d'traiter sa mère ? C'est merveilleux, Gaby, j'suis si heureuse pour toi !

Puis, recouvrant plus de sérieux à l'annonce du lieu d'affectation de sa benjamine :

— Pour sûr, c'est pas la porte d'à côté ton affaire, mais si c'est que pour trois mois, tu seras pas trop longtemps absente. Anna t'dirait que c'est un trou mais c'est toujours mieux que rien, pis faut ben commencer par quequ'chose. Allez, viens-t'en, on va fêter ça ! Ça tombe ben, j'ai préparé pour midi une bonne salade aux patates et d'la tarte aux fraises et à la rhubarbe. Pis comme Clémence est partie chercher du linge à repriser chez les Pères Oblats et que les étudiants seront d'retour icitte que pour l'heure du souper, on sera rien que toé pis moé.

La mère et la fille firent honneur au dîner en profitant de chaque instant de leur tête-à-tête. Ensuite, Gabrielle, toute guillerette, monta à sa chambre et sortit son journal intime de son coffre. Elle ouvrit la lucarne, par laquelle le soleil entra à flots, et s'assit à son petit bureau. Trempant son porte-plume dans l'encrier, elle inscrivit d'abord la date du jour, puis traça ces mots en lettres capitales, tout en haut de la page blanche :

JE SUIS MAÎTRESSE D'ÉCOLE!

8

Gris. À sa descente du train, tout lui parut uniformément gris : les maisons, serrées autour de la petite église en bois et du presbytère, les cabanes des pionniers, dispersées le long de la rue principale et dans les champs, les épinettes et les sapins isolés ou réunis en bouquets. Des arbrisseaux tendaient vers le ciel leurs branches tordues et dénudées. Le vent de septembre tirait un lourd convoi de nuages à travers la plaine rase.

Gabrielle avait posé près d'elle son sac de voyage, son carton à chapeaux et une valise bondée. Personne, pas même le commissaire d'école, n'était venu l'accueillir à la gare de Marchand, un simple arrêt marqué par un poteau et un cabanon prolongé d'un abri. Bien qu'il fût à peine seize heures, le village semblait désert, comme vidé de ses habitants. La jeune femme remonta frileusement le col de son manteau.

— Mais où sont les gens ? se demanda-t-elle en regardant de tous côtés.

Seul le croassement hostile d'un corbeau perçait le silence. Face à elle, de l'autre côté de la rue, s'élevait un bâtiment en bois digne d'un décor de western, avec son auvent appuyé sur des poteaux et ses fenêtres à guillotine, dont les stores étaient à demi baissés. Sur son fronton en saillie se détachait en lettres peintes l'annonce HÔTEL. Quelques jours plus tôt, elle y avait réservé une chambre par téléphone. Elle patienta encore quelques minutes puis, ne voyant toujours rien venir, prit ses bagages en soupirant et traversa la rue sablonneuse. Poussés par le vent, des virevoltants y roulaient dans un froissement sec.

La porte de l'établissement s'ouvrit alors et une grande et forte femme d'une quarantaine d'années, aux cheveux noirs et gras, à la mine revêche, un tablier maculé de taches couvrant sa robe à carreaux, se campa sur le seuil, les poings sur les hanches. Sans doute guettait-elle la jeune fille derrière ses rideaux depuis l'arrivée de cette dernière. Sans même prendre la peine de la saluer, elle l'apostropha en ces termes :

— C'est-y vous, la nouvelle maîtresse d'école?

— Oui, bonjour madame, je suis Gabrielle Roy. C'est moi qui vous ai…

— J'suis madame Leduc, la propriétaire de l'hôtel, l'interrompit la femme, sans un sourire.

D'un coup de menton, elle lui fit signe d'entrer.

Quoique déconcertée par cet accueil peu amène, Gabrielle la suivit et déposa ses affaires dans le vestibule. Tout était plongé dans la pénombre. Devant elle, un escalier raide menait à l'unique étage. À droite, une porte s'ouvrait sur un bar aux panneaux lambrissés, meublé d'un comptoir derrière lequel était alignée une rangée de bouteilles sur fond de miroir, de tables rondes et de chaises. Des trophées de chasse ornaient les murs et une lampe à pétrole coiffée d'un abat-jour était suspendue au plafond. À gauche, une autre porte donnait sur une vaste cuisine en désordre, d'où s'échappait une persistante odeur de graillons.

— La pension est d'vingt-cinq dollars par mois, annonça tout de go l'hôtelière.

— Vingt-cinq dollars! s'exclama Gabrielle. Mais c'est cher!

— C't'à prendre ou à laisser, ma p'tite demoiselle. Z'êtes ma seule pensionnaire dans l'moment pis vous vous imaginez tout d'même pas que j'vas vous nourrir, vous chauffer, vous éclairer, laver et repasser vos hardes pour rien, non? Pis c'est payable d'avance.

N'osant protester davantage, Gabrielle tira son porte-monnaie de la poche de son manteau pour en extraire quelques billets. Elle les tendit à la mégère, qui s'empressa de les fourrer dans son tablier. Du petit pécule que lui avait remis sa mère avant son départ, il ne restait que quelques piécettes.

— Pis c'est sûr que vous êtes maîtresse d'école, vous? reprit la propriétaire en l'examinant des pieds à la tête. Z'êtes ben jeune pour faire la classe, pis ben p'tite et maigre avec ça! Vous savez, icitte, on avait Marie-Jeanne Côté: tout l'monde l'adorait dans l'village. Une fille dépareillée! Mais elle est tombée malade, elle s'dévouait si fort à sa tâche! On voulait d'personne pour la remplacer mais l'commissaire d'école nous a pas laissé l'choix. M'enfin, elle va revenir dans pas longtemps, hein?

Gabrielle rougit et baissa la tête, ne sachant que répondre.

— J'ai quand même fait vot' chambre, ajouta la commère. Tenez, v'là la clé, c't'à droite au fond du couloir. En face, y'a un cabinet avec un baquet d'eau. Pis vous utiliserez la cuve qu'une fois par semaine pour vot' bain, comme tout l'monde.

— Pour la toilette…

— La bécosse, elle est dehors, en arrière. Pis j'espère que vous allez pas commencer à vous plaindre, on est pas en ville icitte, on a pas l'confort moderne, nous aut'!

D'un nouveau coup de menton, elle désigna la valise de sa locataire:

— Dites, ça m'a l'air ben pesant, qu'est-ce qu'y a là-d'dans?

— Des livres en français pour les enfants, balbutia Gabrielle, décontenancée par l'indiscrétion de la tenancière. J'ai pensé que l'école en manquait peut-être.

— Entécas, comptez pas sur moi pour la porter jusqu'en haut, débrouillez-vous! D'abord, j'ai d'l'ouvrage à faire, moé!

106

Et tournant les talons à son interlocutrice, elle s'empressa de rejoindre sa cuisine.

Gabrielle hissa ses bagages avec peine de marche en marche, longea un couloir tapissé d'un papier défraîchi, dont les motifs en forme de gouttes d'eau faisaient penser à de grosses larmes, et entra dans sa chambre. C'était une minuscule pièce, garnie d'un étroit lit de fer recouvert d'une courtepointe grisâtre, d'un coffre, d'une table qui supportait une cuvette, un broc en faïence, un porte-savon et une lampe, et d'une chaise. La fenêtre, voilée d'un rideau banal, plongeait sur la sinistre rue et sur la plaine bornée de nuages, qui viraient peu à peu au noir.

— Une vraie cellule de prison, soupira la voyageuse, en se hâtant d'allumer la lampe.

La gorge serrée, elle rangea ses effets dans le coffre et écarta le nécessaire de toilette pour disposer sur la table ses livres et ses cahiers de préparation de cours. Puis elle s'assit sur son lit, les épaules affaissées, les bras ballants. Elle était épuisée et se sentait très seule, presque abandonnée. En songeant à sa mère, qu'elle avait quittée pour la première fois ce matin même, le découragement l'envahit et elle se mit à pleurer. À cette heure, Mélina devait déjà être en train de préparer le souper avec Clémence dans l'atmosphère chaleureuse et réconfortante de leur maison. Mais demain, c'était le jour de la rentrée et ce n'était vraiment pas le moment de se laisser abattre. Bientôt, la faim et la soif se firent impérieusement ressentir. Gabrielle réalisa alors qu'elle n'avait rien avalé depuis le petit-déjeuner, pris à la hâte avant son départ. Elle sécha ses larmes et, surmontant sa crainte de devoir affronter l'acariâtre propriétaire, descendit à la cuisine.

Madame Leduc traînait en savates éculées au beau milieu d'un fouillis de poêles, de casseroles, de marmites, de jarres et de pots en grès : ils s'entassaient sur le sol, sur la cuisinière en fonte, dans l'évier à pompe, et jusque sur l'armoire.

— Qu'est-ce que vous cherchez ? grogna-t-elle en apercevant Gabrielle sur le pas de la porte. Le souper sera servi qu'à six heures. Revenez pus tard !

— Euh… pardon, bredouilla celle-ci, je ne voulais pas vous déranger, j'aimerais juste avoir un verre d'eau.

— Eh ben servez-vous ! répliqua la patronne avec rudesse, la bouteille est sur la table et les verres dans l'vaisselier.

C'était l'heure du goûter. Une flopée de gamins, trois filles et deux garçons d'environ cinq à dix ans, étaient attablés devant un bol de lait mousseux. La bouche barbouillée de crème, ils levèrent de grands yeux étonnés vers la nouvelle venue et se mirent à la dévisager avec curiosité.

— Mes enfants, déclara la tenancière en les désignant d'un bref coup de menton. Vous aurez les quatre plus jeunes en classe demain. Pour ma grande, l'école, c'est fini : j'ai besoin d'elle icitte, son père travaille toute la journée aux champs. Pis elle est ben assez savante comme ça.

— C'était donc une bonne élève, fit observer Gabrielle, c'est un peu regrettable de ne pas lui faire poursuivre sa scolarité.

— Ah, vous, commencez pas ! rétorqua la matrone en haussant le ton, j'ai pas besoin d'vos leçons, ma p'tite demoiselle ! J'sais quand mieux que vous c'que j'ai à faire d'mes enfants. Une fille, ç'a juste besoin d'savoir lire, écrire pis compter.

L'institutrice se tut, comprenant qu'il était inutile d'insister et qu'elle n'aurait pas gain de cause. Elle s'en voulait de se laisser autant intimider par cette femme sans éducation qui n'accordait pas le moindre respect à l'instruction et à ses représentants. Elle but son verre d'eau en en savourant chaque gorgée et se sentit un peu apaisée. Pendant ce temps, madame Leduc avait pris une boîte en fer blanc dans le garde-manger, dont elle sortit une grosse miche de pain blanc enveloppée dans une serviette. Elle se mit à la couper en tranches épaisses, qu'elle recouvrit ensuite d'une abondante couche de confiture.

— Voilà, dit-elle en les distribuant à ses enfants, vous salissez pas, et après, ouste, déguerpissez !

À la vue du pain frais et de cette confiture qui exhalait une délicieuse odeur de fraises, Gabrielle se mit à saliver. Affamée, elle ne pouvait en détacher les yeux. Jamais, de toute sa vie, elle n'avait eu autant envie d'une malheureuse tartine. Elle aurait tout donné pour y mordre à pleines dents.

— Qu'est-c'que vous regardez comme ça? bougonna la propriétaire en se dépêchant de ranger le pain dans son contenant et de refermer le bocal de confiture.

— Rien, madame, rien du tout, répondit la pauvre Gabrielle en ravalant son dépit.

Mortifiée et choquée par le manque de savoir-vivre de son hôtesse, elle s'apprêtait à remonter dans sa chambre lorsqu'on frappa à la porte d'entrée. Surgit un petit curé d'une vingtaine d'années, muni de son cartable et d'une lanterne. Sous sa barrette en laine noire, il avait une bouille joviale et encore enfantine, qu'illuminait un large sourire, et ses yeux noirs pétillaient derrière ses petites lunettes rondes.

— Bonjour, madame Leduc! lança-t-il joyeusement en rajustant sa soutane froissée par le vent, comment allez-vous aujourd'hui? Bonjour, les enfants!

Puis, s'adressant à la jeune femme:

— Vous devez être mademoiselle Gabrielle Roy… Je vous souhaite la bienvenue, ma sœur – vous permettez que je vous appelle ma sœur? –, je suis l'abbé François Lavallée, le prêtre de cette paroisse.

«Enfin un visage sympathique!» se dit Gabrielle en le saluant d'un signe de tête.

— Monsieur Allard, le commissaire d'école, m'a prié de l'excuser auprès de vous, il n'a pu venir vous accueillir à votre arrivée: c'est la période des labours, vous comprenez. Mais il passera vous voir demain sans faute en classe. Madame Leduc, je me vois dans l'obligation d'interrompre votre conversation et de vous enlever mademoiselle Roy. Je dois régler quelques détails en privé avec elle puisque nous allons être amenés à travailler ensemble. Venez, ma sœur, nous allons nous installer dans la salle de restaurant, nous y serons tranquilles pour faire plus ample connaissance.

Étourdie par ce flot de paroles, Gabrielle suivit le jeune religieux dans une pièce de taille moyenne qui jouxtait le bar. Un buffet ventru voisinait des tables carrées recouvertes d'une nappe à carreaux rouges et blancs, au centre desquelles était placée une lampe. De vieux outils, quelques photos de famille et des tableaux représentant des paysages aux couleurs criardes qui témoignaient du mauvais goût de la maîtresse de maison tapissaient les murs. L'ecclésiastique et l'enseignante prirent place l'un en face de l'autre.

— Eh bien, avez-vous fait bon voyage, ma sœur ? interrogea le premier en réglant l'allumage de la lampe, qui répandit une douce clarté. Vous êtes bien installée ? Tout est à votre convenance ?

— Oui, monsieur l'abbé, répondit Gabrielle, n'osant lui avouer à quel point la grossièreté de madame Leduc l'indisposait.

— Appelez-moi père François ou mon frère, si vous préférez. Après tout, nous ne sommes pas très éloignés en âge, ajouta-t-il en riant. J'espère que vous vous plairez ici. Comme vous l'avez peut-être remarqué, les gens sont un peu sauvages, durs et sans manières. Ils sont différents de ceux de la ville, c'est certain, mais il y en a de braves parmi eux. Ils étaient très attachés à l'ancienne maîtresse d'école, mademoiselle Côté, qui était de la région, aussi se méfient-ils toujours des étrangers. Toutefois, ils s'habitueront à vous, et réciproquement, je l'espère. Quant à madame Leduc, elle a, comme on dit, son franc-parler, mais dans le fond, ce n'est pas une mauvaise personne. J'ai bien eu quelques démêlés avec elle à mes débuts, mais en cinq ans de ministère, j'ai appris à la connaître. Il ne faut pas toujours prendre ce qu'elle dit pour argent comptant et surtout éviter de la contredire.

Quoiqu'elle ne partageât pas l'optimisme de son interlocuteur, la jeune fille éprouva un certain réconfort en entendant ces propos. Le sourire lui revint.

— Puis, reprit le représentant de l'Église, êtes-vous prête pour demain?

— Ma foi, j'ai préparé un certain nombre de choses dès que j'ai su que j'étais nommée ici. Par conséquent, je pense être prête, monsieur l'abbé… je veux dire, mon frère.

— Alors, tant mieux! Ah, oui, monsieur Allard m'a remis quelques papiers à vous faire signer. L'administration, vous savez ce que c'est…

En homme habitué à mener tambour battant ses affaires, le curé extirpa de son cartable une liasse de feuillets, une minuscule bouteille d'encre, dont il dévissa en un tournemain le couvercle, et un porte-plume, qu'il tendit à son vis-à-vis.

Gabrielle parapha les documents et l'entretien se poursuivit :

— Pour le catéchisme, mon frère…

— Une heure par semaine suffira. C'est aussi ce que l'Association d'éducation des Canadiens français du Manitoba préconise auprès des commissions scolaires. Vous trouverez de petits livres dans la bibliothèque de l'école. Divisez la classe en deux et envoyez-moi les petits et les grands en alternance chaque vendredi soir. Je veillerai à compléter leur instruction après l'office. Je tiens aussi à ce qu'un maximum d'enfants soit présent à la messe dominicale : je compte donc sur vous pour le leur rappeler. Et puis vous viendrez aussi, n'est-ce pas?

— Bien sûr, mon frère, vous pouvez compter sur moi, promit la nouvelle paroissienne qui, sous l'influence de sa mère et lorsque ses études lui en laissaient le loisir, avait jusqu'ici régulièrement fréquenté l'église, à Saint-Boniface.

— Parfait! Ce sera l'occasion pour vous de rencontrer les parents de vos élèves car, étant très occupés en ce moment, je doute fort qu'ils conduisent leurs enfants à l'école demain, même si c'est le jour de la rentrée. Les plus âgés d'entre eux accompagneront leurs petits frères et sœurs. Quant à vous, sachez que si vous avez besoin de conseils ou d'un soutien quelconque, je me tiens à votre disposition. De même si vous souhaitez vous confesser d'ici quelque temps.

— J'y songerai, je vous remercie, mon frère, rétorqua Gabrielle sans plus de précisions.

Quoiqu'elle trouvât ce serviteur de Dieu fort sympathique, elle se sentait embarrassée à la perspective de dévoiler d'hypothétiques péchés à un homme aussi jeune.

— Alors, si vous n'avez pas d'autres questions, je propose que nous allions faire un tour d'inspection de l'école, histoire de vous familiariser avec les lieux. Je suppose que vous êtes impatiente de la découvrir.

— Oh oui, mon frère! s'exclama la jeune femme, subitement ragaillardie par la suggestion de ce dernier.

Permettez-moi de monter chercher mon manteau dans ma chambre. Et aussi, j'ai apporté des livres en français, mais ma valise est très lourde et…

— Ah, je vois, fit-il avec un petit sourire de connivence. Ne vous inquiétez pas avec cela : vous enverrez deux de vos grands élèves les chercher demain.

* * *

Quelques minutes plus tard, le ministre du culte et l'institutrice se mettaient en route en bavardant déjà comme deux vieux amis. Leurs petites silhouettes, courbées par le vent, se découpaient sur un ciel qui chargeait la plaine d'énormes paquets de nuages d'un noir d'encre. François Lavallée raconta qu'il était originaire de Saint-Pierre-Jolys, un petit village situé au sud de Winnipeg, et qu'après ses études au Séminaire de Québec, il avait vu exaucé son vœu d'exercer son sacerdoce dans son pays natal. De son côté, mise en confiance par la gentillesse et la simplicité du curé, Gabrielle évoqua sa famille et quelques souvenirs de la rue Deschambault.

L'école Saint-Étienne ne se trouvait qu'à quelques centaines de mètres du bourg. C'était une grande bâtisse en planches comprenant un décrochement et couverte d'un toit en bardeaux, qui s'élevait au centre d'un terrain sableux et caillouteux, semé d'une herbe rare. Elle était éclairée de chaque côté par une rangée de hautes fenêtres à meneaux.

En pénétrant dans la classe, longue et spacieuse, Gabrielle huma avec délices l'odeur d'encaustique, de craie et d'encre, qui lui rappela l'école de son enfance.

L'abbé Lavallée fit jaillir la lumière de l'unique lampe, qui révéla le bureau de la future maîtresse d'école, juché sur une estrade précédée de deux marches. Juste au-dessus était punaisée une photo de l'ancien premier ministre Wilfrid Laurier. Un grand tableau noir faisait face à une quinzaine de pupitres jumelés et de bancs. Un antique poêle à charbon occupait le centre de la pièce. Au fond, une bibliothèque et une armoire complétaient le mobilier.

Des cartes de géographie du monde et du Canada, un tableau d'unités de mesures et de poids, des dessins de figures géométriques et des planches de sciences décrivant l'anatomie du cheval ou exposant différentes essences d'arbres et de plantes, étaient accrochés aux murs. Gabrielle ne put s'empêcher de remarquer leurs couleurs passées, leurs bords déchiquetés, et l'absence, çà et là, d'œilletons de fixation.

— Oui, notre école n'est pas bien riche, fit observer François Lavallée, qui suivait la jeune femme du regard, attentif à ses réactions, et il n'y a pas de globe terrestre, c'est dommage.

D'autres images, plus sommaires, montraient des animaux domestiques, des paysages soulignés du titre Our beautiful Canada (Notre beau Canada), ou illustraient des maximes de morale, telles que *Idle hands are the devil's workshop* (L'oisiveté est

116

la mère de tous les vices), *Honesty is the best policy* (L'honnêteté est toujours récompensée), et *Never put off to tomorrow what can be done today* (Il ne faut pas remettre au lendemain ce qu'on peut faire aujourd'hui).

— La femme de service, madame Saint-Onge, qui est aussi l'une de mes meilleures paroissiennes, a fait le ménage, ciré les pupitres, et tout remis en ordre, expliqua le curé. Mais ce sera aux écoliers d'essuyer le tableau et de balayer la classe chaque soir à tour de rôle : cette tâche développera leur serviabilité et leur sens des responsabilités. Les outils adéquats se trouvent dans la cabane à charbon attenante à l'école, en arrière, à côté de la bécosse. Un des hommes du village viendra alimenter régulièrement le réservoir d'eau. Une chose encore : lorsqu'il fera froid, vous devrez allumer le poêle chaque matin. Par la suite, vous pourrez déléguer cette fonction à vos grands élèves. En revanche, vous demanderez aux plus jeunes de préparer en fin de journée le seau à charbon et le petit bois pour le lendemain.

Gabrielle, qui ouvrait grand ses oreilles, acquiesça en silence. À la fois ravie et impressionnée, elle déambulait dans la classe avec une attitude déférente, comme si elle visitait une église. Le prêtre la laissa prendre petit à petit possession de son domaine.

— Ma première école… dit-elle, à la fois rêveuse et admirative.

François Lavallée sourit d'un air attendri.

— Maintenant, procédons à l'inventaire pour voir si rien ne manque, proposa-t-il.

Il traversa la salle d'un pas rapide et ouvrit l'armoire.

— En cas d'oubli de la part de l'un ou l'autre de vos élèves, vous disposez ici d'un lot de fournitures. Il y a aussi quelques bouliers, quoique les enfants utilisent tout et n'importe quoi pour apprendre à calculer. Et voici du matériel à dessin. Vous avez également une réserve de bouteilles d'encre : madame Saint-Onge a rempli les encriers des écoliers pour cette fois, mais il vous appartiendra désormais de le faire.

Puis il revint au bureau de l'institutrice :

— Venez voir, il contient tout le nécessaire pour vos leçons.

Avec des yeux de petite fille émerveillée, Gabrielle ouvrit le tiroir comme s'il s'agissait d'un coffre aux trésors. Elle promena ses doigts sur les craies, la grande règle, le compas, l'équerre et le rapporteur, qui brillaient sous le halo de la lampe. Puis, avec délicatesse, elle posa sur le pupitre l'encre, le papier, ainsi que le registre de présence des élèves et le journal de la classe.

— Si vous avez besoin d'autre chose, adressez vos requêtes au commissaire d'école, renchérit le religieux, mais je vous préviens, les moyens pécuniaires que le ministère de l'Éducation lui alloue sont très limités. Cela ira-t-il ?

— Tout est très bien, mon frère, je me débrouillerai. J'ai hâte de commencer.

— Alors, si vous le permettez, rentrons à présent. J'ai des paroissiens qui ne vont pas tarder à arriver pour les vêpres.

La nuit était tombée et en se mêlant l'un à l'autre, le vent et le froid avaient fait brusquement chuter la température. Le prêtre alluma son fanal et raccompagna Gabrielle jusqu'à son hôtel. Parvenu devant la porte, il lui remit une clé de l'école et tous deux échangèrent une cordiale poignée de main.

— Bonne soirée, ma sœur, et soyez à votre poste à neuf heures !

— Je tâcherai de ne pas l'oublier, répondit-elle en riant. Bonne soirée, mon frère, et encore merci pour tout !

Six heures avaient sonné depuis un bon moment déjà au clocher de Marchand. À peine Gabrielle eut-elle franchi le seuil du sombre établissement qu'une voix aigre l'interpella de la cuisine :

— Z'êtes en retard. J'suis pas à vot' service, ma p'tite demoiselle ! Si tous mes pensionnaires faisaient comme vous…

Son assurance en partie recouvrée au contact de son nouvel allié et encore sous le charme de sa découverte de l'école, cette dernière décida d'ignorer les commentaires de la logeuse et de ne pas s'excuser. En longeant le couloir qui menait à la salle à dîner, elle jeta un coup d'œil dans la cuisine : la tenancière servait le souper à sa famille tout en lançant des regards furibonds dans sa direction. Attablé au milieu des enfants que Gabrielle avait croisés quelques heures plus tôt, un homme d'une cinquantaine d'années, l'air bourru et exténué, mangeait sa soupe à grandes et bruyantes lampées. Monsieur Leduc, de toute évidence. Ses cheveux blancs, sa moustache de la même teinte et ses épaules voûtées accentuaient ses rides et son visage prématurément vieilli. Au sourire courtois que lui adressa Gabrielle, il répondit par un hochement de tête et plongea le nez dans son assiette.

Dans le café, quelques paysans en pardessus de laine noire reprisée, la casquette vissée sur le crâne et la pipe aux lèvres, discutaient à une table devant un verre de bière. À l'arrivée de Gabrielle, toutes les têtes s'étaient tournées vers elle. À présent, les buveurs la fixaient avec une expression à la fois défiante et ahurie.

— Messieurs, les salua-t-elle.

Soit par gêne, soit par dédain ou par inimitié, tous se détournèrent sans lui répondre et poursuivirent leur conversation à voix basse.

Faisant fi de leur comportement inhospitalier qui s'accordait si bien avec l'atmosphère des lieux, Gabrielle s'installa dans le restaurant. Sans un mot, la propriétaire déposa devant elle une assiettée de soupe de gros pois cassés et un plat de fèves au lard qui nageaient dans un liquide peu appétissant. La jeune femme mangea du bout des lèvres. Qu'on était loin des petits plats raffinés de Mélina et toujours mitonnés avec amour! Lorsque madame Leduc revint pour desservir, elle s'aperçut que sa pensionnaire avait à peine touché à son repas.

— Eh ben, elle est pas bonne, ma soupe? persifla-t-elle en croisant les bras sur son opulente poitrine. Et qu'est-ce qu'elles ont mes fèves, elles vous plaisent pas? Z'êtes ben difficiles, vous, les gens d'la ville! Enfin, si vous voulez pas d'ma nourriture, ça vous regarde, mais y'aura pas d'menu spécial pour vous icitte. Vous mangerez c'qu'on vous fera ou rien pantoute!

— Je n'ai pas voulu critiquer vos mets, objecta Gabrielle, mais j'avoue ne pas avoir très faim.

— Ben ça… Alors, ma tarte aux pommes, j'gage que z'allez pas en prendre non pus! Y en reste une pointe.

— Non merci.

— C'est ben d'valeur. Mon homme et mes enfants, y z'ont pas craché dessus, eux aut'!

121

— Sans façon, répéta Gabrielle, convaincue qu'elle ne perdait rien en refusant son dessert. Je vais me retirer. Je suis fatiguée et j'ai encore du travail à faire. Si vous voulez bien m'excuser… Bonsoir, madame !

Elle se leva de table, puis au moment de quitter la pièce, se retourna vers la maîtresse de maison et lui lança avec autant de dignité que de froideur :

— Au fait, madame Leduc, vous m'obligeriez en cessant de m'appeler « ma p'tite demoiselle » : mademoiselle Roy fera l'affaire. N'oubliez pas que je suis la nouvelle institutrice de ce village… et la future éducatrice de vos enfants !

Et elle planta là la propriétaire ébahie, qui demeura bouche close pour la première fois de la journée.

Satisfaite d'avoir trouvé le courage de clouer le bec à cette harpie, elle regagna sa chambre. Une fois sa toilette achevée, elle prépara son cartable et choisit avec soin les vêtements qu'elle porterait le lendemain : un chemisier clair à lavallière et un ensemble veste et jupe gris-bleu avec son petit chapeau de la même couleur, agrémenté d'un ruban blanc. Ensuite, avec d'infinies précautions, elle sortit du coffre son premier tablier de maîtresse d'école, qu'elle se mit à contempler à l'égal d'une relique.

Elle se coucha de bonne heure, lut quelques pages d'un roman qu'elle avait commencé dans le train, puis éteignit la lumière. Après avoir souhaité en pensée une bonne nuit à sa mère, elle s'endormit aussitôt. Son sommeil fut si profond qu'elle n'entendit pas la chouette chevêche qui se posa en pleine nuit au bord de sa fenêtre, cogna plusieurs fois du bec à la vitre, puis s'envola dans un jacassement aigu, comme en manière d'avertissement.

9

C'était un vacarme indescriptible. Une trentaine d'enfants déchaînés, garçons et filles mêlés, bourdonnaient à l'unisson, sifflaient, criaient, hurlaient. Les uns abattaient avec violence le couvercle de leur pupitre, les autres en frappaient les bords avec leur règle, d'autres encore se poursuivaient dans la classe en se lançant de l'encre à la figure. À chaque instant, des boulettes de papier traversaient l'air en tous sens.

Aussi pétrifiée que l'une des chétives épinettes qu'on apercevait par les fenêtres, au fond du terrain, la maîtresse d'école se tenait devant son estrade, impuissante et terrifiée, son petit cartable en cuir plaqué contre elle. Plus elle s'efforçait d'obtenir le silence, plus sa voix fluette s'étranglait dans sa gorge, et plus les enfants affectaient de l'ignorer ou se moquaient d'elle en riant et en lui jetant des regards insolents.

Gabrielle s'était levée de bonne heure en ce lundi de rentrée. Après avoir expédié son piètre déjeuner, composé d'un café amer et de tartines frottées de beurre rance, elle s'était mise joyeusement en route pour l'école. Le vent était tombé pendant la nuit, mais le temps demeurait gris. Impatiente d'entamer sa première journée d'enseignement, pleine d'espoir et de confiance en elle-même, elle avait vite refoulé la petite boule d'appréhension qui s'était formée au creux de son ventre. Cependant, en entrant dans la classe – où les écoliers étaient censés l'attendre avec la même curiosité fébrile –, elle qui, depuis un an, s'était consciencieusement préparée à sa future mission et maintes fois imaginée transmettant son savoir à des enfants souriants, dociles et appliqués, qu'elle conduirait d'une main infaillible vers la réussite et vers un grand destin, elle avait cru plonger en enfer. Elle était persuadée que ce tapage s'entendait jusqu'à l'autre bout du village. Chaque minute lui parut une éternité. Ses paroles se perdaient dans le bruit assourdissant et sa voix s'enraya pour finir par s'éteindre. Livide, le cœur affolé, les jambes flageolantes, elle faillit éclater en sanglots.

Les pensées les plus sombres défilaient dans sa tête. Tant d'efforts et de sacrifices consentis pour rien à l'École normale! Quelle pitoyable institutrice elle faisait, incapable de s'exprimer et de faire régner la discipline dans sa classe! Sa carrière était ruinée, et cela, avant même d'avoir débuté. Elle voyait déjà la déception se peindre sur le visage de sa mère, entendait les leçons de morale de ses anciens professeurs de l'Académie Saint-Joseph et les remontrances du docteur McIntyre, qui, tous, avaient placé tant d'attentes en elle; et elle anticipait les gorges chaudes que ne manqueraient pas de faire les gens de Saint-Boniface.

Au comble du désespoir, humiliée, vaincue, elle était sur le point de tout abandonner et de s'enfuir, lorsque la porte s'ouvrit avec fracas et que l'abbé François Lavallée fit irruption dans la classe, le visage rouge de colère. Suivait un fermier d'une soixantaine d'années, d'apparence cossue, qui, en apercevant Gabrielle, ôta poliment sa casquette. Aussitôt, le silence se fit comme par enchantement. Il y eut une dernière bousculade et les enfants qui se pourchassaient entre les tables regagnèrent leur place, les bras croisés sur leur pupitre.

— Qu'est-ce que c'est que ce boucan ? hurla le curé d'une voix de stentor, qui contrastait avec sa petite taille et sa bonhomie coutumière. Où vous croyez-vous ? Dans un cirque ?

Il arpenta les rangs à grandes enjambées, distribuant ici et là quelques taloches, tirant des oreilles et des cheveux, assénant des coups sur les têtes avec le plat d'un cahier.

— Qui a organisé ce chahut, hein ? Dites-le-moi un peu ! C'est toi, le grand niaiseux de Nicolas Gauthier ? Et lève-toi quand je te parle !

Un élève en blouse grise, qui devait atteindre les quatorze ans, déplia sa haute taille : les oreilles décollées sous son béret, le visage en pointe piqueté de taches de rousseur, il fixait l'abbé, qu'il dépassait de deux bonnes têtes, avec un sourire stupide.

— Bien entendu, toujours le même ! s'écria le prêtre. Tu commences bien l'année, toi ! Ouh, je me demande ce qui me retient de…

Et il esquissa le geste de lui flanquer une gifle.

— Mais crois bien que je vais t'avoir à l'œil, mon gaillard !

Puis, se tournant vers d'autres écoliers :

Les grands, vous n'avez pas honte d'entraîner les petits à faire des bêtises alors que vous devriez leur servir d'exemples ? Vous, les jumeaux Léveillé, ramassez-moi immédiatement ces boulettes de papier et jetez-les dans la corbeille ! Vous, Dupuis, Légaré, Théberge, filez vous laver la face en arrière ! Et toi, Pierre Normandeau, petit drôle, va me chercher ce qu'il faut pour nettoyer toutes ces taches sur le plancher !

Les fautifs obtempérèrent sur-le-champ.

— Vous savez ce que vous venez de commettre là, les enfants ? poursuivit l'ecclésiastique, fou de rage. Un sacrilège... oui, un sacrilège ! Le papier et l'encre sont comme le pain, on ne les gaspille pas ! Ce sont les objets sacrés de votre institutrice. En agissant comme vous l'avez fait, vous détruisez son outil de travail et par la même occasion vous sabotez le vôtre. Par conséquent, c'est vous-même que vous punissez. Puis vous savez qui va payer pour tous ces dégâts ? Vos pauvres parents, qui se saignent aux quatre veines pour vous envoyer dans cette école bénie du Seigneur et pour vous permettre d'étudier afin d'améliorer votre condition... et la leur. Beaucoup d'enfants n'ont pas votre chance, vous savez !

Rouges de confusion, les écoliers piquèrent du nez sur leur pupitre.

Le religieux revint devant l'estrade, où Gabrielle tentait de recouvrer ses esprits, et s'adressa avec sévérité à toute la classe :

— Je vous présente mademoiselle Gabrielle Roy. Elle est venue spécialement de la ville de Saint-Boniface pour remplacer pendant quelque temps votre institutrice. C'est une grande savante, qui a beaucoup étudié pour arriver là où elle en est, aussi me ferez-vous le plaisir de la respecter. Et je vous conseille même de la prendre pour modèle si vous voulez faire quelque chose de votre vie. Maintenant, je vais m'entretenir quelques minutes avec elle à l'extérieur et je ne veux pas entendre un seul mot, compris ? Nous réglerons cette affaire vendredi soir, lors de votre leçon de catéchisme !

En agitant un index menaçant, il quitta brusquement la classe, le paysan, qui avait assisté en retrait à la scène, et Gabrielle sur les talons. Une fois dehors, la jeune femme poussa un soupir de soulagement. Au contact du grand air, un peu de rose colora ses joues.

— Je m'en doutais, fit l'homme d'Église avec humeur, j'ai bien fait de passer par ici. Leurs parents ont dû les monter contre vous à cause de mademoiselle Côté. Oh, rien de personnel, rassurez-vous, ils en auraient fait autant vis-à-vis de n'importe quelle autre institutrice. Mais cela ne se passera pas comme cela ! Je vais leur parler. Je suis sincèrement désolé, ma sœur.

— Mon frère, vous êtes mon sauveur ! s'exclama celle-ci, les yeux brillants de reconnaissance, sans vous, je…

— Ah non, ma sœur, votre Sauveur, c'est Lui, corrigea-t-il en pointant un doigt vers le ciel. Remerciez-le plutôt de m'avoir inspiré de venir à votre rescousse.

L'institutrice ne put s'empêcher de sourire.

— Il faut dire que je ne m'attendais pas du tout à pareil accueil. J'ai eu si peur ! Je n'aurais pas dû, je m'en veux de…

— Tut tut, ma sœur, il y a un début à tout. Ça va aller mieux maintenant, ils ont compris la leçon. Permettez-moi de vous présenter monsieur Allard, le commissaire d'école. Monsieur Allard, voici mademoiselle Roy.

Gabrielle et le cultivateur se saluèrent d'une inclinaison de tête.

— Mam'zelle Roy, j'venais simplement voir si les choses se passaient bien pour vous… je veux dire, s'il vous manquait quequ' chose dans la classe, déclara ce dernier, qui était demeuré jusqu'ici silencieux.

Il avait des yeux timides, aussi gris que le paysage environnant, mais dont l'expression un tantinet fuyante n'échappa
pas à la jeune fille.

— Non, pas pour le moment, monsieur, rétorqua-t-elle en
souriant pour la seconde fois, mais je vous remercie. Comme
je le disais hier à monsieur le curé, votre école me plaît
beaucoup.

Et, devant l'air sceptique de son interlocuteur, elle s'empressa
d'ajouter :

— Si, si, vous pouvez me croire !

— Alors, puisque tout va bien, conclut le commissaire d'un
ton peu convaincu, j'vas retourner au travail, mes journa-
liers m'attendent. Cependant, si vous avez besoin de quequ'
chose, passez me voir : j'habite la grosse maison, juste derrière
le presbytère. Bonne chance, mam'zelle ! Bonjour, m'sieur
l'curé !

Il toucha sa casquette du bout des doigts et prit la direction
du village.

— Dites, monsieur Allard, le rappela François Lavallée,
vous penserez à envoyer Justin accrocher un crucifix dans la
classe, au-dessus du tableau ? Depuis le temps que je vous le
demande ! Vous m'aviez promis de le faire installer avant cette
rentrée-ci. Au plaisir de vous revoir… à la messe dominicale,
j'espère !

L'agriculteur répondit par un haussement d'épaules et, sans se retourner, poursuivit son chemin en marmonnant.

— Ah, les nouvelles idées! soupira le religieux, les idées soi-disant modernes… elles contaminent jusqu'aux gens de nos campagnes: cela devient parfois ardu de leur faire accomplir leur devoir. Il en va de même pour les enfants. Puis, ma sœur, êtes-vous remise de vos émotions? Vous sentez-vous capable d'affronter de nouveau ces petits fauves?

— Oui, mon frère, cette fois, ça ira.

— C'est bien sûr? Alors, allez-y et ne craignez pas de vous montrer ferme avec eux. Certains viennent de milieux difficiles, très difficiles même, et on ne gagne pas toujours à être trop gentil.

— Justement, ce sont ceux-là qui exigent d'être traités avec le plus de douceur et de patience. Mais enfin, je suivrai vos conseils. Je ne sais comment vous remercier, mon frère…

— En menant à bien votre tâche, ma sœur, en la menant à bien, et jusqu'au bout. Je vous rendrai visite ce soir, à l'hôtel. Si cela vous convient, nous prendrons quelques minutes pour préparer ensemble votre première leçon de catéchisme.

***

Prenant une profonde inspiration, Gabrielle pénétra dans l'arène. Tout avait été remis en ordre et un silence absolu régnait. Terrorisés par les cris et les avertissements de l'abbé, les écoliers se tenaient à présent cois, presque statufiés sur leur chaise. L'institutrice grimpa sur l'estrade d'un pas affermi, ôta son manteau et son chapeau, qui libéra les cheveux bouclés qu'elle portait à nouveau jusqu'aux épaules depuis la fin de l'École normale, et les accrocha à une patère fixée au-dessus de son bureau. Puis, après avoir arrangé les plis de son tablier, elle promena sur son auditoire un regard à la fois doux et déterminé, nuancé d'un soupçon d'inquiétude.

Les plus petits écoliers, qui avaient entre cinq et huit ans, étaient assis au premier rang. Derrière avaient pris place ceux de neuf à onze ans. Leurs aînés, dont l'âge s'échelonnait entre douze et quatorze ans, occupaient le fond. Une bonne partie d'entre eux braquait sur la jeune fille des yeux à la fois attentifs et pleins de crainte. L'autre partie s'obstinait à les garder baissés, par gêne ou par réserve. C'étaient pour la plupart des enfants de fermiers canadiens-français très modestes. Leur tignasse embroussaillée, leurs yeux creux et leur visage chiffonné, parfois mal débarbouillé, accentuaient encore leur maigreur. Les plus vieux avaient les mains calleuses et rougies par les durs travaux des champs. Plusieurs élèves détonnaient dans le groupe par leurs cheveux très noirs, leurs yeux bridés et leur teint cuivré : « des petits Métis, sans doute », se dit Gabrielle.

Les garçons portaient une veste, une blouse ou un chandail rapiécés, des culottes courtes au fond usé, de gros bas de laine reprisés ou troués, qui faisaient ressortir leurs genoux osseux, et des souliers poussiéreux. Quelques semelles bâillaient çà et là. Les fillettes étaient vêtues d'une robe cousue de différentes pièces de tissu de couleur, qui faisaient penser à un *patchwork*. Leurs bas et leurs souliers étaient aussi usagés que ceux de leurs camarades masculins. Par souci de coquetterie, certaines mamans avaient ajouté un ruban défraîchi dans leurs cheveux, qui tombaient librement ou nattés sur leurs épaules.

À la vue de ces pauvres enfants qui, une heure auparavant, n'avaient sans doute voulu, par leur remue-ménage, qu'attirer son attention sur eux ou au contraire, lui masquer leur misère, Gabrielle fut saisie d'une profonde compassion. Comment avait-elle pu se laisser impressionner par eux? Et surtout, comment avait-elle pu songer un seul instant à les délaisser? Elle se promit d'être pour eux la meilleure institutrice qui soit pendant le peu de temps qu'elle passerait à leur contact.

— Bon, dit-elle en s'éclaircissant la voix, maintenant que vous vous êtes bien amusés, je vais faire l'appel.

En ouvrant le registre des présences, elle s'aperçut que ses mains tremblaient encore.

— Marie Allaire…

— Présente ! répondit une fillette à l'air timoré, en se levant puis en se rasseyant aussitôt.

— Les enfants, vous pouvez rester assis pendant l'appel. Je vais tâcher de graver vos visages dans ma mémoire en même temps que vos noms. Joséphine Bérubé… Émilien Dupuis… Évariste Langevin… Octave Leduc…

À peine avait-elle terminé la lecture de sa liste qu'un garçon de dix ou onze ans leva le doigt pour demander la parole.

— Oui… c'est Paul, ton prénom, n'est-ce pas ? Alors, qu'y a-t-il, Paul ?

— Ben, mam'zelle, répondit celui-ci en se tortillant d'embarras, pour c'qui s'est passé… on voulait pas vous faire d'la peine, vous savez.

— Je n'en doute pas, rétorqua la jeune femme, touchée par cette intervention inattendue, mais ne recommencez plus. Vous avez entendu ce que le père Lavallée a dit tout à l'heure. Merci, Paul, tu es un petit garçon très courageux et je te félicite.

L'intéressé bomba le torse.

— Dites, mam'zelle, vous allez nous punir pour ça ? interrogea une petite fille, en posant sur elle de grands yeux noisette effarouchés.

— Non, je ne vais pas vous punir.

— Ah bon, parce que mam'zelle Côté, elle, elle nous donnait des punitions.

— Chaque institutrice a des méthodes différentes, Lynette, et les punitions ne font pas partie des miennes. Sauf exception, bien sûr. Et puis je ne vais pas vous punir le jour de la rentrée. D'ailleurs, vous l'avez été bien assez comme cela aujourd'hui, non? Maintenant, passons à autre chose : voulez-vous que nous commencions la journée par une histoire ? Vous aimez les histoires ?

— Oh oui, mam'zelle ! répondirent les enfants tous en chœur.

— Alors je vais vous raconter *La légende des cloches de Saint-Boniface*.

Elle décrivait les aventures, issues du vieux folklore canadien-français du Manitoba, des cloches que monseigneur Norbert Provencher, l'évêque du Nord-Ouest, avait commandées en Angleterre pour la cathédrale de son diocèse. Leur «père», le fondeur Mears, les avait d'abord confiées au capitaine d'un bateau en partance pour le Canada, plus précisément pour le port de Churchill, au Manitoba. Ensuite, elles avaient embarqué dans les canots de voyageurs qui les avaient transportées jusqu'à Norway House, à travers des forêts, des portages et des rapides. Enfin, elles étaient parvenues à Saint-Boniface et carillonnaient avec gaieté aux oreilles de monseigneur Provencher et de ses paroissiens. Hélas, un incendie, survenu quelques années plus tard, avait ravagé la cathédrale et endommagé les cloches. Il avait alors fallu les renvoyer en Angleterre pour les «soigner» et les refondre. À leur retour, à la grande consternation des Bonifaciens, elles avaient débarqué à Saint-Paul, dans le Minnesota, aux États-Unis, en provenance de Portland, dans le Maine. Elles avaient donc dû reprendre le bateau jusqu'à la baie d'Hudson, puis naviguer sur la rivière Rouge avant de retrouver leur clocher. Aujourd'hui, elles sonnaient toujours à toute volée dans le ciel de Saint-Boniface.

Les enfants avaient écouté ce récit les yeux arrondis, bouche bée, littéralement suspendus aux lèvres de Gabrielle. Avides d'en connaître les rebondissements, les plus jeunes se tordaient sur leur chaise en se mordillant les lèvres de plaisir. Ils avaient poussé des cris d'effroi en apprenant que McDowald, un ouvrier fondeur anglais un peu trop porté sur la bouteille, avait, dans un accès de colère, lancé une des cloches dans le feu qui servait à fondre le métal. Et toute la classe avait éclaté de rire lorsque la plus grosse cloche, martelée avec rage par le méchant homme, l'avait heurté de plein fouet en se balançant et qu'il était tombé les quatre fers en l'air.

— Oh, elle est belle, votre histoire, mam'zelle! s'exclama un garçonnet de six ans, vous pouvez nous en raconter une autre?

— Non, demain, répondit Gabrielle, satisfaite d'avoir réussi à captiver son assistance, et seulement si vous êtes sages. Il est temps de passer à la leçon de français, mais nous allons y retrouver nos cloches.

Ravis, les enfants sortirent de leur pupitre leur plumier et leur cahier, dont la couverture était ornée de motifs Art nouveau. La salle bruissait de murmures et de petits rires étouffés. Gabrielle remplit les encriers que les chahuteurs avaient renversés plus tôt, aida les écoliers malhabiles à agencer leur porte-plume, et ramassa les plumiers qui tombaient à tout moment par terre en répandant leur contenu. Elle commença par écrire la date du jour au tableau puis, tandis que les petits s'appliquaient à dessiner les cloches en tirant la langue, expliqua quelques mots du vocabulaire qu'elle avait utilisé dans sa légende : « diocèse », « portage », « rapide », « endommager », « marteler »… Toutefois, sachant que la loi Thornton lui interdisait d'enseigner dans sa langue natale et qu'elle pouvait faire à tout moment l'objet d'une inspection, même un jour de rentrée, elle poursuivit par un cours de géographie en anglais.

— Voyons, qui veut venir nous montrer sur la carte où se trouve l'Angleterre ?

— Moé ! s'écria un gamin de huit ans, sans même réfléchir. Arrivé devant le schéma des continents, il parut perplexe et posa son doigt au hasard sur une longue forme verte.

— Non, ce grand pays s'appelle l'Inde, corrigea Gabrielle. Il fait bien partie de l'Empire britannique mais ce n'est pas l'Angleterre.

Les autres écoliers pouffèrent de rire.

— Voyons, les enfants, ne vous moquez pas de votre camarade! Il a fait preuve de bonne volonté en venant au tableau. Vous aussi, il vous arrivera de vous tromper: c'est ainsi que l'on apprend. Je te remercie, Alfred, tu peux retourner à ta place.

Avec sa règle, elle pointa l'emplacement de la Grande-Bretagne, puis indiqua les villes que les cloches avaient parcourues lors de leurs périples et qui étaient marquées par de gros points noirs. L'énorme tache bleue, située au centre du monde, représentait l'océan Atlantique, les plus petites, la baie d'Hudson et les lacs canadiens; enfin, les longs serpents de la même couleur figuraient les fleuves et les rivières sillonnés par les voyageuses.

Cependant, en constatant que l'attention générale faiblissait et que les petits commençaient à ne plus tenir en place, l'institutrice interrompit son commentaire.

— C'est l'heure de la récréation! annonça-t-elle en frappant dans ses mains. Mais restez à proximité de l'école et ne vous approchez pas des limites du terrain ni du bois en arrière ! Je vous surveille par la fenêtre. Les grands, je compte sur vous pour garder un œil sur vos petits frères et sœurs.

Tous les élèves se ruèrent à l'extérieur en criant et en se bousculant à qui mieux mieux. Gabrielle s'assit à son bureau pour souffler quelques minutes, puis colla le nez à la vitre afin d'observer son petit monde. Séparés en deux camps, les garçons d'un côté, les filles de l'autre, les enfants étaient absorbés par leurs activités. Les premiers jouaient aux billes avec des pommes de chêne, couraient à toutes jambes ou se lançaient une balle en chiffon bourrée de crin de cheval. Les secondes sautaient à cloche-pied dans une marelle tracée avec un bout de bois, en poussant devant elles une vieille boîte à cirage, faisaient la ronde ou comparaient les couleurs de leurs robes.

L'institutrice remarqua que, si la majorité des écoliers avaient repris l'usage du français à peine sortis de la classe, d'autres utilisaient un jargon mâtiné de français et d'anglais, qui la heurta. Quant aux petits Métis, ils s'exprimaient entre eux en michif, un curieux mélange de français et de parler indigène cri. Se sentant impuissante à empêcher cet état de choses, conséquence de la terrible contrainte que le gouvernement manitobain faisait peser sur les pédagogues canadiens-français, elle s'assura simplement qu'aucun d'eux ne commettait de sottises ou n'était tenu à l'écart par ses compagnons.

Un quart d'heure plus tard, elle rappela les élèves et, une fois le silence revenu, les fit rentrer en rangs deux par deux. Elle distribua quelques illustrations de Saint-Boniface et de son fameux carillon, qui lui fournirent la matière de sa leçon d'histoire et suscitèrent bon nombre de questions de la part de ses petits disciples. Puis ce fut la fin de la matinée. Comme l'école ne possédait pas encore de cantine, les enfants qui habitaient au village et dans les environs s'en allèrent dîner chez eux, sous la conduite des plus âgés. Les autres demeurèrent dans la salle et sortirent d'une boîte en fer un quignon de pain et quelques rogatons, qu'ils mangèrent pourtant de grand appétit, tout en buvant l'eau de leur gourde. Gabrielle, qui avait, elle aussi, l'estomac dans les talons, fit honneur aux sandwichs aux œufs que lui avait préparés madame Leduc et partagea le reste de son casse-croûte avec ses élèves.

* * *

L'après-midi, pendant que les bambins coloriaient leurs cloches, l'enseignante soumit quelques exercices de calcul et d'arithmétique aux élèves plus avancés. Ces derniers trouvèrent bien plus amusant de compter avec des bâtonnets, des fèves, des graines de haricots secs et même de petits cailloux qu'au moyen du classique boulier. Ensuite, elle leur donna un sujet de composition anglaise sur les travaux de la ferme, tandis qu'elle inscrivait au tableau les premières lettres de l'alphabet pour inculquer aux petits les rudiments de la lecture et de l'écriture. Elle enchaîna par la récapitulation des devoirs à faire à la maison, et, comme le lui avait demandé l'abbé Lavallée, dressa une liste répartissant les tâches ménagères entre les écoliers. Afin de se débarrasser au plus vite de cette corvée, les premiers désignés se mirent aussitôt à pied d'œuvre. Au terme de la journée, alors que les grands enfilaient leur manteau, la jeune fille expliqua encore aux petits comment boucler et endosser leur cartable en carton bouilli, et vérifia s'ils n'avaient rien oublié. Puis, après l'avoir saluée par d'abondants et sonores «b'soir mam'zelle!», tous les enfants se hâtèrent vers la sortie.

Enfin, Gabrielle se retrouva seule… ou presque. Occupée à ranger ses affaires, elle n'avait pas pris garde au trio de fillettes qui s'était planté au pied de son bureau. La plus téméraire se racla la gorge afin de lui signaler leur présence.

— Mais que faites-vous là? Vous n'êtes pas encore parties? s'étonna l'institutrice en se penchant par-dessus son pupitre.

— Non, mam'zelle, on voulait vous dire… on voulait vous dire qu'on vous aime bien, bredouilla la première en dansant d'un pied sur l'autre.

Gabrielle sentit son cœur fondre d'attendrissement.

— Comme c'est gentil, Nanette! Moi aussi, je vous aime bien, dit-elle en retour.

— Pis vous êtes belle, mam'zelle, s'enhardit la seconde, vous avez de beaux cheveux… et de beaux yeux.

— Toi aussi, Liselotte, tu es très mignonne, tu sais.

— Moé, j'aimerais être aussi grande que vous! s'écria la troisième, qui lança les bras vers le plafond, dans une attitude comique.

— Tu le seras un jour, Eugénie, assura la jeune femme en riant, et bien plus que moi encore. Mais tu sais, il ne faut pas vouloir grandir trop vite car après, on regrette de ne plus être un enfant.

— Ah bon?

— Allez, rentrez vite chez vous maintenant, vos parents doivent vous attendre! À demain!

— À demain, mam'zelle!

Gabrielle regarda par la fenêtre les trois fillettes s'éloigner sur la route puis disparaître tout d'un coup, comme si elles avaient été avalées par l'horizon opaque de la plaine. Leurs déclarations attentionnées avaient achevé de dissiper l'angoisse et le chagrin qu'elle avait éprouvés à son arrivée dans la classe. Après tout, si l'on exceptait l'incident regrettable du matin, sa première rentrée s'était plutôt bien déroulée: elle était parvenue à capter l'intérêt de ses élèves et avait obtenu leur coopération.

Le soir tombait. Déjà, les silhouettes solennelles des sapins se fondaient dans l'obscurité qui progressait à pas de loup. La maîtresse d'école se sentait peu à peu gagnée par une fatigue bien compréhensible. Elle revint à son pupitre et soupira à la vue des cahiers à corriger et des travaux qu'il lui restait à préparer pour le lendemain. Il lui sembla que la journée ne faisait que commencer.

10

— C'est qui, Dieu ?

L'écolière de six ans fixait avec intensité son institutrice de ses yeux bleus pleins d'expectative.

— Dieu est un esprit infiniment parfait, Céline, répondit cette dernière, qui achevait la journée du vendredi par une leçon de catéchisme.

— Ah ? J'le connais pas ! rétorqua la fillette avec une spontanéité désarmante.

— Si cela peut te faire plaisir, moi non plus, reprit Gabrielle en étouffant un petit rire, mais il est partout.

— Partout ? s'exclama le voisin de Céline. Mais alors, si y est partout, pourquoi on l' voit pas ?

— Parce qu'il est invisible, Jacquelin : c'est un pur esprit qu'on ne peut voir avec les yeux du corps.

— Mais lui, y nous voit ?

— Oui, il nous voit. Il connaît nos actions, nos paroles et même nos pensées les plus secrètes. Ainsi, quand tu te prépares à faire une bêtise, Octave, il le sait, ajouta Gabrielle à l'intention d'un des fils Leduc qui farfouillait depuis un moment dans son pupitre, caché derrière l'abattant. Mais comme il sait aussi que tu as bon cœur, il te pardonne.

Le garçonnet pris en défaut rougit et s'empressa de refermer son meuble.

— Pis, mam'zelle, c'est Dieu qu'a fait le vent? interrogea encore Jacquelin. Ça fait longtemps que j'me demande ça parce que le vent, c'est ben gênant pis j'aime pas ça.

— Oui, Dieu a fait le ciel, la terre, toutes les choses visibles et invisibles, et même celles qui te paraissent gênantes. C'est ce qu'on appelle la Création.

— Moé, ma maman, elle dit que c'est la Sainte Vierge qui fait la pluie, déclara Céline.

— La Sainte Vierge? Mais pourquoi la Sainte Vierge ferait-elle la pluie?

— Ben… maman dit que, quand il pleut, c'est la Sainte Vierge qui pleure parce que les gens ont été méchants.

— Je ne pense pas que ce soit la Sainte Vierge qui fasse la pluie: il lui faudrait bien trop de larmes pour arroser toute la terre ou alors c'est que les gens ont été vraiment très méchants! Non, la pluie se forme dans les nuages. Quand il fait beau, le soleil absorbe l'eau de la mer, des lacs et des rivières, mais on ne le voit pas car elle monte en toutes petites gouttelettes, qui retombent ensuite sur le sol. On appelle cela un phénomène météorologique. Nous l'étudierons lors de la prochaine leçon de géographie.

— Regardez, mam'zelle, moé, j'ai dessiné les anges !, interrompit fièrement le benjamin de la classe en brandissant son cahier.

— Ils sont très réussis, je te félicite, mon petit Jean, et leurs ailes ont de très jolies couleurs. Vous, les grands, vous allez me citer par écrit les sept péchés capitaux en prévision de votre cours de ce soir avec l'abbé Lavallée.

— Mam'zelle, j'sais pas si ça sert à grand-chose, objecta un garçon de treize ans, dont le visage empourpré exprimait une vive inquiétude, parce que m'sieur l'curé, y nous a promis un sapré engueulage.

— Raison de plus pour lui montrer que vous avez bien appris votre leçon d'aujourd'hui! Le père Lavallée est un brave homme. Vous allez écouter bien sagement ses conseils et lui promettre de ne pas recommencer vos écarts. Ensuite, vous ferez pénitence et tout sera fini.

Rassuré, l'adolescent se mit à plancher sur la question posée. Puis, ayant vérifié que la signification de chaque faute humaine avait été bien comprise, Gabrielle libéra les écoliers, qui, à la perspective du congé de fin de semaine, s'égayèrent à grands cris.

***

La semaine s'était déroulée sans anicroche. Petit à petit, la maîtresse d'école perfectionnait son organisation, gagnait en assurance et en efficacité dans son enseignement, et veillait à maintenir un rythme équilibré entre les leçons et les activités ludiques. Sur le plan de la discipline, suivant en cela les recommandations de Miss July Willis, son ancienne pédagogue à l'École normale, elle s'efforçait de marier la douceur à la fermeté et de traiter tous les élèves avec équité. Elle mettait aussi un point d'honneur à encourager le moindre de leurs efforts et à les féliciter chaque fois qu'ils commettaient une bonne action ou obtenaient un bon résultat.

C'est donc avec la satisfaction du devoir accompli que le samedi après-midi, une fois les cahiers des écoliers corrigés et le plan des cours de la semaine suivante complété, l'institutrice décida de s'accorder un moment de détente et de partir en promenade. Dès le matin, elle avait troqué sa tenue quotidienne contre un chandail et une jupe unis, et chaussé des mocassins souples.

Gabrielle était une grande marcheuse. Malgré son apparence frêle, il lui arrivait de parcourir jusqu'à six milles dans la même journée aux alentours de Saint-Boniface, seule ou en compagnie d'amis. Curieuse de découvrir son nouvel environnement, elle prit la direction opposée de l'école, vers le village. Le paysage était toujours noyé dans la grisaille, ciel et terre confondus. Rien ne bougeait. Il n'y avait pas un souffle de vent. Immobiles, les arbres ressemblaient à des statues de verdure et le silence, immense, paraissait encore agrandir la plaine.

« Quel étrange coin de pays ! pensa Gabrielle en frissonnant sous son manteau. On dirait que le soleil n'y brille jamais, contrairement au reste du Manitoba. »

Elle longea la rue principale, parallèle à la voie ferrée, où la silhouette hautaine d'un silo à grains, grise elle aussi, se découpait à contre-ciel. En passant devant l'hôtel, elle vit le rideau de la cuisine s'écarter légèrement. Comme de coutume, madame Leduc devait être à l'affût derrière ses carreaux. Si cette dernière avait accueilli la jeune fille avec un petit sourire ironique le soir de la rentrée des classes, laissant entendre qu'elle avait eu vent de ses déboires – sans doute par ses enfants –, à présent, elle gardait ses distances et surveillait davantage ses paroles. Gabrielle l'ignora et poursuivit sa route. Elle traversa le village, qui était aussi mort que le jour de son arrivée, avec ses maisons aux portes fermées et aux fenêtres à demi ou entièrement closes, puis déboucha de nouveau dans la plaine. De pauvres maisons et des cabanes y étaient semées çà et là, séparées par des bosquets ou des îlots d'arbres. Une habitation très ancienne, faite de mottes d'herbe à bison, semblait jaillir du sol. Ce devait être la dernière de ce genre dans la région, car depuis la fin du XIXe siècle, les colons utilisaient du bois de charpente comme matériau de construction. Dans la cour avant, un vieillard vêtu de noir fumait la pipe sur un banc tandis qu'une femme en fichu, en robe et en tablier de la même teinte lançait du grain à la volée à quelques poules qui picoraient dans un petit enclos. Une paire de chevaux de trait mâchonnaient du foin sous un abri attenant à la maisonnette.

Dans un champ d'une étendue démesurée, le tracteur d'un riche fermier – peut-être monsieur Allard, le commissaire d'école – tirait une dizaine de charrues qui creusaient de larges sillons d'une rigoureuse rectitude. Debout sur l'arrière-train, quatre ouvriers en actionnaient les mancherons afin de maintenir égale la profondeur des raies sur toute leur longueur. Plus loin, de modestes cultivateurs, les manches de chemise ou de veste retroussées, peinaient dans leur parcelle, courbés sur une unique charrue attelée à deux chevaux. Au milieu d'une nuée de corbeaux criards en quête de vers, on les entendait ahaner et encourager leurs bêtes quand le soc butait contre une racine et qu'il leur fallait défoncer la chair rebelle de la prairie. Gabrielle s'enivra de l'odeur forte et piquante de la terre fraîchement ouverte.

En apercevant la jeune femme, les paysans interrompaient quelques instants leurs labours pour la suivre d'un regard à la fois curieux et suspicieux, puis reprenaient leur besogne. Rares furent ceux qui la saluèrent. Des groupes d'enfants couverts de boue – dont quelques élèves de Gabrielle – jouaient avec des mottes. En reconnaissant leur institutrice, ceux-ci lui adressèrent de grands signes, auxquels elle répondit par un sourire et un geste de la main.

Elle s'engagea au hasard sur une route toute droite, qui fuyait à perte de vue entre une double rangée de hauts sapins. Des chemins la croisaient et la recroisaient, menant ici à un cabanon abandonné, là à une mare aux eaux stagnantes, là encore à un petit étang statique qui reflétait des conifères ombreux. L'institutrice revint à plusieurs reprises sur ses pas afin de ne pas se perdre et, au bout de quelques kilomètres, rejoignit encore la plaine. À l'horizon, des gardiens de cheptel, dont l'ample manteau de cuir battait les flancs de leur monture, poursuivaient au galop un troupeau de chevaux. Plus près de la route, au centre d'un corral, un jeune cavalier s'exerçait à attraper un poulain au lasso. Accoudés avec nonchalance à la barrière, quelques éleveurs en tenue de cow-boys traditionnelle – chapeau à larges bords, veste à franges ouverte sur une chemise à carreaux, pantalon raide, ceinturon à boucle et bottes pointues – observaient les évolutions malhabiles de leur camarade. Leur étonnement, en voyant paraître une étrangère dans un endroit aussi désert, se mua très vite en larges sourires : ils soulevèrent leur couvre-chef ou le firent tournoyer, et l'un d'eux émit même un petit sifflement admiratif.

Gabrielle dépassa le parc à bestiaux et coupa à travers champs. Tout à coup, il lui sembla entendre le bruit d'un cours d'eau. Masquée par des broussailles, c'était une petite rivière dont le frais babillement détonnait dans le mutisme de la plaine : il lui rappela le rire clair et enfantin de ses petits élèves. Elle sourit et s'assit sur une pierre pour se reposer. Au bout d'un moment, comme hypnotisée par l'écoulement régulier de l'eau et le tourbillon des bulles entre les cailloux, elle laissa ses rêves et ses pensées dériver au fil du courant.

***

Six heures sonnaient au clocher de Marchand lorsqu'elle regagna l'hôtel. Une effervescence inhabituelle y régnait. Le bar s'emplissait peu à peu de paysans et de gardiens de chevaux, venus boire un verre et se détendre entre amis après leur dure semaine de labeur. Ils discutaient bruyamment ou disputaient une partie de cartes tout en trinquant dans une épaisse fumée de pipes et de cigarettes. Derrière le comptoir, monsieur Leduc servait des clients, un torchon sur le bras. Sans leur jeter un regard, Gabrielle se rendit à la salle à dîner et, son repas sitôt terminé, monta dans sa chambre.

La soirée au bar se prolongea jusqu'à tard dans la nuit. L'enseignante avait essayé en vain de lire et ne réussit pas davantage à fermer l'œil. En bas, c'étaient d'incessantes allées et venues, un ballet ininterrompu de portes qui s'ouvraient et qui claquaient. Sans arrêt, des voix sonores, des rires gras, des grincements de chaises et des bruits de verres entrechoqués résonnaient sous le plancher. Chaque fois qu'elle était sur le point de s'endormir, un brusque éclat de rire la réveillait, auquel se mêlaient les gloussements de madame Leduc, sans doute suscités par des propos grivois. Comble de malchance, un cow-boy se mit à massacrer à la guitare The Little Old Log Cabin on the Lane, de Fiddlin John Carson, un air du bon vieux temps que toute une bande reprit en chœur d'une voix nasillarde et éraillée, en frappant des mains ou du talon. Pour couronner le tout, une locomotive traînant un interminable convoi de wagons vides stoppa en face de l'hôtel en soufflant comme un troupeau de bisons. Et pendant une heure, Gabrielle dut supporter le fracas des manœuvres qu'à grand renfort de cris et d'interjections les employés ferroviaires exécutèrent pour le transférer sur une voie de remisage.

Vers deux heures du matin, elle fut prise d'une envie irrésistible de se soulager. Privée de vase de nuit, elle n'avait pas d'autre choix que de se rendre à la bécosse, située à l'extérieur de l'hôtel. Elle enfila sa robe de chambre et ses mules, prit sa lampe, et descendit à pas feutrés en évitant de faire craquer le plancher de l'escalier. Fort heureusement, la porte du bar était close. Dehors, elle fut saisie par le froid et se hâta d'aller aux toilettes.

En rentrant dans le couloir, elle tomba nez à nez avec un homme d'une cinquantaine d'années qui sortait du cabaret en titubant. Tandis qu'elle le contournait en s'excusant, ce dernier, brusquement, l'attrapa par la taille et l'attira contre lui:

— Ho, ho, pas si vite, la belle ! Viens don un peu par icitte, toé !

D'une voix pâteuse, il lui murmurait des obscénités à l'oreille. Son haleine empestait la bière et le tabac. Le souffle coupé, le cœur battant la chamade, Gabrielle tenta de se dégager mais l'individu resserra son emprise et entreprit de l'embrasser.

— Tout doux, tout doux, ma mignonne, ricana-t-il, tu vas pas partir comme ça sans m'donner un p'tit bec, non ?

Dégoûtée, la jeune fille détourna la tête au moment où les lèvres de l'ivrogne allaient rencontrer les siennes et un baiser répugnant s'écrasa sur sa joue. Elle s'essuya d'un revers de manche mais, dans son affolement, lâcha sa lampe qui s'éteignit en tombant sur le sol. Une courte lutte s'ensuivit dans le noir. Bien que Gabrielle ne distinguât pas les traits de son adversaire, elle entendait sa respiration saccadée et sentait son souffle rauque dans son cou. Terrifiée, elle se mit à lui marteler la poitrine de toute la force de ses poings et se débattit tant et si bien qu'elle finit par lui échapper. Elle se rua dans l'escalier mais le soûlon, à demi sorti de son état d'ébriété, se lança à sa poursuite.

— Viens icitte, petite garce ! beugla-t-il. J'vas t'montrer, moé ! Attends un peu…

154

Il allait la rattraper lorsqu'en un ultime réflexe Gabrielle lui décocha un violent coup de pied dans le ventre, qui coupa net son élan et le fit dégringoler jusqu'au bas des marches. Peinant à se relever, il se mit à sacrer comme un charretier. Mais le brouhaha était tel dans le bar que personne ne l'entendit.

Pendant ce temps, la jeune femme s'était précipitée dans sa chambre. Terrorisée, elle s'enferma à double tour et poussa son coffre contre la porte. Haletante, tremblant de tous ses membres, elle tenta de reprendre son souffle mais ses nerfs lâchèrent subitement et elle s'effondra en sanglotant sur sa chaise. Toujours en pleurant, elle se lava à tâtons dans l'obscurité, avec l'affreuse sensation que l'odeur de l'homme lui collait à la peau. Petit à petit, elle rassembla ses esprits et se coucha en se recroquevillant au creux de son lit. Elle ne parvint toutefois pas à trouver le sommeil : le moindre bruit la faisait sursauter et elle se leva plusieurs fois au cours de la nuit pour écouter à la porte si son agresseur ne rôdait pas dans le couloir. Mais il ne se manifesta plus et, peu à peu, la maison se vida de ses fêtards.

Au matin, pâle et défaite, Gabrielle décida d'aller tout raconter à l'abbé Lavallée. Sa décision était prise : elle ne demeurerait pas un jour de plus dans ce sordide établissement. Les occupants de l'hôtel dormaient encore et madame Leduc ne se leva pas pour lui préparer son petit-déjeuner. De toute façon, elle aurait été bien incapable d'avaler quoi que ce fût. Dans sa hâte fébrile, elle ne remarqua pas que sa toilette dominicale était en désordre, son chapeau, mis de travers, et elle arriva en retard à la messe.

Lorsqu'elle poussa la porte de l'église, qui grinça sur ses gonds, tous les paroissiens tournèrent la tête vers elle et la fixèrent d'un air réprobateur. Le prêtre interrompit son sermon et lui lança également un regard sévère avant d'en reprendre le fil. Confuse, elle se glissa au dernier rang en marmonnant des excuses mais eut peine à suivre le déroulement de la cérémonie : sans cesse, elle se triturait les doigts avec nervosité. Néanmoins, la poésie du Cantique des trois enfants – qui célèbre le sauvetage, par le Créateur, de petits chrétiens qu'on avait jetés dans les flammes pour avoir refusé d'adorer une idole – calma quelque peu son agitation et elle joignit sa voix à la longue litanie des bénédictions :

Œuvres du Seigneur, bénissez le Seigneur ! Anges du Seigneur, bénissez… / Nuages suspendus dans les espaces célestes / Soleil et lune / Étoile du Ciel / Pluie et rosée / Vents que Dieu déchaîne / Feu et chaleur / Froid et glace / Rosées et brumes / Nuits et jours / Lumière et Ténèbres / Éclairs et Nuées / Montagne et Collines / Plantes qui verdissez sur la terre / Mer et torrents / Poissons qui vivez dans les eaux / Oiseaux du Ciel / Bêtes et troupeaux… Ainsi soit-il !

Elle s'éclipsa discrètement avant la fin de la célébration et attendit le curé cachée derrière un arbre, afin de ne pas avoir à affronter les parents de ses élèves. Tandis que la cloche de l'église sonnait à toute volée, les fidèles sortirent du lieu saint et s'attroupèrent devant la porte : des hommes en casquette ou en chapeau et costume trois-pièces noirs, des femmes en chapeau cloche, manteau et souliers de la même teinte, des enfants endimanchés, qui tentaient de repérer leurs camarades de classe dans la foule. Dès que le ministre du culte eut fini de saluer ses ouailles, lesquelles se dispersèrent dans le village et dans la plaine, Gabrielle se précipita vers lui en criant :

— Mon frère, il faut absolument que je vous parle ! C'est très important !

François Lavallée, qui s'apprêtait à rentrer dans le sanctuaire, se retourna vers elle, perplexe.

— Eh bien, que vous arrive-t-il, ma sœur ? Vous avez l'air bouleversé. Mais où étiez-vous donc passée ? Vous n'êtes pas venue communier et vous n'avez même pas rencontré les parents de vos élèves ! Certains d'entre eux m'ont fait des remarques à ce sujet.

La jeune femme entreprit de lui relater les pénibles événements de la nuit.

— Je vois, je vois, dit le religieux, dont les yeux s'arrondissaient au fur et à mesure qu'il prenait connaissance des faits.

157

Doux Seigneur, ajouta-t-il en se signant, comme vous avez dû avoir peur ! Je n'ose songer à ce qui aurait pu se produire. Mais qui était cet homme ?

— Je l'ignore, je ne l'avais jamais vu auparavant. Il faisait nuit et personne n'a été témoin de la scène. Du reste, même si des gens m'étaient venus en aide, je doute fort qu'ils auraient parlé.

— C'est inacceptable. Ah, l'ivrognerie, l'ivrognerie ! soupira l'abbé en joignant les mains, le regard levé vers le ciel. Depuis le début de mon ministère, je ne cesse de combattre ce démon qui fait perdre la raison à nos meilleurs hommes, qui les rend semblables à la bête, coupables de tous les péchés. Si vous saviez la misère que j'ai à les faire fréquenter la Société de tempérance de La Broquerie, le village voisin !

Gabrielle profita de l'émoi de l'homme d'Église pour épancher le trop-plein de son cœur : elle lui décrivit le comportement mesquin de madame Leduc à son égard, insista sur la médiocrité de la nourriture, l'exiguïté de sa chambre, la cherté de la location, évoqua la promiscuité embarrassante du bar et le malaise qu'elle éprouvait depuis son arrivée à l'hôtel.

— Je comprends : il est clair que cet endroit ne convient pas à une jeune fille, et à une jeune fille de votre qualité, conclut le serviteur de Dieu. Tous ces hommes, ces jeux de cartes, cette maudite boisson… Vous allez vous installer chez madame

Saint-Onge pour le reste de votre séjour : vous y serez comme chez vous. Je vous avais déjà parlé d'elle, c'est une très brave femme, toute dévouée envers son prochain.

— Mais je n'ai plus d'argent pour la payer ! s'écria Gabrielle, prête à fondre en larmes.

— Ne vous inquiétez pas pour cela, ma sœur, je vais m'arranger avec elle. Et puis j'imagine que vous allez bientôt recevoir votre premier salaire.

L'enseignante opina de la tête.

— Bon, allez préparer vos bagages et faites vos adieux à madame Leduc en évitant de vous obstiner avec elle et de lui donner trop d'explications : elle colporterait votre mésaventure dans tout le village. J'irai lui parler en personne. Ensuite, rejoignez-moi chez madame Saint-Onge. Regardez, c'est cette maisonnette, là, juste en face de l'église. J'enverrai quelqu'un chercher vos affaires à l'hôtel.

Aussitôt dit, aussitôt fait : Gabrielle boucla ses valises en un tournemain et annonça son départ à sa logeuse, qui, contre toute attente, ne lui posa aucune question mais refusa de lui rembourser les trois semaines de pension qu'elle lui avait avancées. Puis, suivant les consignes de l'abbé, elle se présenta à la porte de sa future hôtesse.

* * *

La soixantaine bien sonnée, Germaine Saint-Onge était une petite femme vive et gracieuse. Veuve d'un fermier de la région, elle complétait sa maigre pension par quelques travaux ménagers et employait le reste de son temps à des œuvres de charité. Dès qu'elle parut sur le seuil, son regard bleu, plein de bienveillance, et son sourire avenant mirent Gabrielle en confiance.

— Ma pauv' demoiselle! Ma pauv' demoiselle! s'exclama la vieille dame à la vue des yeux cernés de l'institutrice et de sa mine déconfite. Entrez, mais entrez don! insista-t-elle en lui frottant gentiment les bras pour la réconforter.

Quoique la maison fût un peu sombre et basse de plafond, elle était propre et bien tenue. Madame Saint-Onge introduisit sa future pensionnaire dans la cuisine et s'empressa de lui servir un copieux petit-déjeuner de crêpes à la confiture, auquel le curé ne se fit pas prier pour se joindre. La jeune femme mangea cette fois de bon appétit, se laissant peu à peu envahir par la douce chaleur émanant du fourneau, sur lequel chuintait une antique cafetière. Rassuré sur le sort de sa protégée, François Lavallée prit alors congé et la maîtresse de maison conduisit Gabrielle à sa chambre.

Située à l'étage, elle était de dimension modeste mais nettement plus grande et plus confortable que celle de l'hôtel. Assortis à la tapisserie, des rideaux et une courtepointe à fleurettes lui donnaient un petit air coquet. Un miroir, quelques images pieuses et des portraits de famille en égayaient les murs.

— Vous verrez, vous vous plairez ici et on va bien s'entendre toutes les deux, déclara la logeuse.

Gabrielle approuva d'un sourire. Elle tombait de fatigue. Madame Saint-Onge se retira donc afin de lui permettre de rattraper quelques heures de sommeil. Gabrielle se jeta en travers du lit et dormit d'une traite jusqu'au milieu de l'après-midi. À l'heure de la collation, la propriétaire frappa quelques coups discrets à la porte de sa chambre et entra avec un plateau sur lequel étaient disposées une théière et des rôties beurrées. Très vite, les deux femmes se mirent à deviser comme de vieilles amies. Les histoires que madame Saint-Onge racontait sur son passé de fermière étaient si distrayantes que Gabrielle en oublia presque ses tribulations nocturnes. Elle y retrouvait un écho des souvenirs de jeunesse de Mélina, qu'elle ne se lassait jamais d'entendre, et même des anecdotes amusantes que celle-ci avait rapportées de son dernier séjour de travail estival chez l'oncle Excide.

La jeune fille n'en revenait pas de l'atmosphère paisible et sereine qui régnait dans cette maison, des petits soins dont elle était l'objet de la part de son hôtesse, de l'intimité qui s'était déjà créée entre elles deux. Elle qui, à peine quelques heures auparavant, regrettait d'avoir accepté un poste dans ce village maudit, s'en voulait à présent d'avoir eu de telles pensées. Toute la tension qu'elle avait accumulée depuis son emménagement à l'hôtel, une semaine plus tôt, se relâcha d'un coup. Enveloppée dans ce cocon à la fois accueillant et revigorant – qui semblait tissé de la même fibre que celui de sa maison natale –, la maîtresse d'école se sentait de nouveau prête à affronter sinon le monde, du moins sa classe du lendemain. Mais au-dehors, les nuages continuaient de s'épaissir au-dessus de Marchand.

11

Plusieurs semaines s'écoulèrent. La tâche de Gabrielle se révélait plus difficile et plus ingrate qu'elle se l'était imaginée et que ses débuts encourageants lui avaient laissé croire.

L'administration de sa classe – dont le niveau s'échelonnait de la première à la huitième année – exigeait une organisation rigoureuse. Chaque jour, une fois la maxime de morale inscrite au tableau, il lui fallait jongler avec les leçons à expliquer, les devoirs à donner et les activités à répartir toutes les vingt ou trente minutes entre les différents groupes. Ainsi apprenait-elle aux petits à compter avec des bûchettes, tandis que les moyens poursuivaient leur apprentissage de l'écriture et que les grands faisaient des exercices d'arithmétique. Ensuite, elle devait corriger ces derniers au tableau, pendant que les élèves des sections intermédiaires recopiaient leur page d'écriture et que les débutants traçaient leurs premiers chiffres dans leur cahier. Et ainsi de suite, tout au long de la journée. Afin d'alléger sa charge, elle s'était arrangée pour que les cours d'histoire, de géographie, de sciences naturelles et de catéchisme fussent communs.

Le maintien de la discipline constituait un autre défi pour la jeune fille, qui avait davantage l'impression de jouer le rôle d'une mère de famille ou d'une gardienne auprès des petits que celui d'une institutrice. Le matin, certains gamins arrivaient sales et mal peignés, les ongles crasseux, la morve au nez. Il y en avait toujours un qui avait oublié son mouchoir, demandait à aller à la bécosse au beau milieu d'une leçon, voire urinait dans ses culottes, sous les rires et les quolibets de ses camarades. Les mêmes bambins se tachaient les mains d'encre, faisaient de gros pâtés sur leur cahier, laissaient tomber par mégarde leur porte-plume, qui éclaboussait le plancher. Alors que Gabrielle remédiait à ces maladresses, le temps passait, le retard s'accumulait dans les programmes et les enfants en profitaient pour chahuter.

L'indocilité que manifestaient les grands, surtout les garçons, rendait sa mission encore plus ardue. Les admonitions de l'abbé Lavallée une fois oubliées, ceux-ci avaient bien vite laissé libre cours à leur véritable nature : agitée, dissipée, entêtée. Sans cesse, l'enseignante devait les tenir occupés pour les empêcher de bavarder, de ricaner bêtement ou de commettre quelque sottise. Pendant la récréation, ils se battaient, tourmentaient les filles et prenaient un malin plaisir à faire pleurer les petits en leur chipant leurs affaires. Malgré la patience et la maîtrise de soi dont Gabrielle s'efforçait de faire preuve, malgré le sens de la pédagogie que lui avait transmis son modèle, Miss Willis, il lui arriva de s'emporter à plusieurs reprises contre eux. Nicolas Gauthier, le cancre de la classe – qui avait mené le tohu-bohu du jour de la rentrée –, était l'écolier qui lui posait le plus de problèmes. Il était non seulement sot et instable, mais aussi menteur, sournois et tricheur. Gabrielle avait eu beau user de toute sa force de persuasion pour le gagner à sa cause et lui faire comprendre qu'il risquait de compromettre son avenir, rien n'y avait fait. Un jour qu'il s'était montré grossier et insolent à son égard, elle l'avait renvoyé dans ses foyers afin qu'il réfléchisse à sa mauvaise conduite. À son retour, il avait paru faire amende honorable mais avait sauté sur la première occasion pour réitérer ses méfaits.

D'autres élèves témoignaient de l'indolence, de la négligence ou de la paresse. Ils manquaient l'école sans raison valable ou bien arrivaient en retard, laissaient à la maison leur syllabaire ou les fournitures indispensables à leurs travaux, rechignaient à faire le moindre effort, y compris à essuyer le tableau ou à passer la serpillière sur le plancher. Gabrielle était sans arrêt obligée de les rappeler à l'ordre. De même que les enfants distraits, dont l'attention se relâchait pendant l'explication des leçons. Les petits Métis, par exemple, quoique doués d'une vive intelligence, éprouvaient des difficultés à se concentrer sur leurs études : ils regardaient par la fenêtre en soupirant, rêvaient ou bayaient aux corneilles, n'attendant que la fin de la journée pour s'enfuir dans les bois. En outre, ils s'enfermaient dans une attitude boudeuse et obstinée dès que Gabrielle tentait de les faire abandonner leur parler michif au profit du français ou de l'anglais.

Heureusement, la gentillesse, l'application et les résultats prometteurs d'une poignée d'écoliers compensaient les déceptions qu'elle rencontrait en les lui faisant oublier par intermittence. Ceux-ci la secondaient volontiers auprès des plus jeunes lorsqu'elle était débordée et s'attachaient à lui donner toute satisfaction dans leur travail.

Une élève, en particulier, se démarquait par sa serviabilité, son assiduité et sa précocité intellectuelle. Dernière-née d'un des fermiers les plus pauvres de la région, elle s'appelait Alphonsine Durocher et atteignait ses onze ans. Par malchance, elle était affligée d'une toux chronique, rauque et déchirante, que la pauvrette, honteuse et embarrassée, s'évertuait à étouffer afin de ne pas perturber le bon fonctionnement de la classe. De grands yeux sombres, à la fois inquiets et pétillants de curiosité, dévoraient son petit visage blême, encadré de nattes noires. Sa poitrine creuse laissait échapper une respiration sifflante et ses minces vêtements faisaient encore ressortir sa maigreur. Elle paraissait fondre un peu plus chaque jour.

Un soir après la classe, elle vint trouver Gabrielle pour lui demander à emprunter des livres de sciences qu'elle avait aperçus dans la bibliothèque.

— Tu ne préfères pas plutôt des contes ou des récits d'aventures comme tes camarades? s'étonna l'institutrice.

Ces manuels sont difficiles, plutôt rébarbatifs, et risquent de t'ennuyer. Ils s'adressent davantage aux enseignants qu'aux élèves.

— Non, mademoiselle, ce sont ceux-là que je veux, répliqua la fillette en plantant un regard déterminé dans celui de l'adulte, dont elle s'efforçait par ailleurs de reproduire le langage soigné. J'ai tant de choses à apprendre!

— As-tu l'intention d'étudier plus tard les sciences, Alphonsine? Qu'aimerais-tu faire lorsque tu seras grande?

— Je veux être médecin, mademoiselle.

— Médecin? s'exclama la jeune femme, de plus en plus surprise.

— Oui, mademoiselle, comme cela, je pourrai soigner les enfants qui sont malades, comme moi.

À ces mots, Gabrielle se sentit envahie d'une immense tendresse à l'égard de l'écolière.

— C'est très généreux de ta part, Alphonsine. Mais ces études sont longues, elles coûtent aussi très cher, et puis il y a peu de femmes médecins: c'est un métier très dur.

— Je sais, mademoiselle, mais je veux être médecin quand même.

— Alors, je souhaite de tout mon cœur que tu parviennes un jour à décrocher une bourse pour tes études et à réaliser ton rêve. Tu es une petite fille courageuse et je suis certaine que tu feras un très bon médecin, capable de soigner et de guérir un tas d'enfants. Mais je trouve que tu tousses de plus en plus en ce moment. Que dit le docteur de Marchand?

— À moi, rien, mais maman m'a dit que c'était une bronchite.

— Et puis j'ai l'impression que tu as encore maigri ces derniers temps. Manges-tu bien?

— Je n'ai pas beaucoup d'appétit, mademoiselle, et c'est parce que ma toux m'empêche de dormir la nuit que je perds du poids.

— Eh bien, j'espère que cette bronchite va vite guérir et que tu recouvreras la santé, déclara l'enseignante.

Et de conclure par cette saillie, qui arracha un pauvre sourire à l'enfant:

— Il ne faudrait tout de même pas que tes futurs patients aient affaire à un médecin malade!

Mais le lendemain, dès la première heure de cours, la petite fut prise d'une telle quinte de toux que du sang jaillit de sa bouche, colorant son mouchoir d'une vive teinte rouge. Elle s'empressa de fourrer ce dernier dans sa poche et de faire bonne figure, mais l'incident n'avait pas échappé à Gabrielle. Elle interrompit sa leçon pour aller poser la main sur le front de la fillette.

— Tu es brûlante de fièvre, Alphonsine. Elle revient périodiquement, ce n'est pas normal. Je me demande si ce que tu as est une simple bronchite. Il faut que tu rentres chez toi et que tu te mettes au lit. Dis à ta maman de faire venir le docteur et repose-toi pendant quelques jours.

— Mais mademoiselle, protesta l'écolière, au bord des larmes, je préfère rester à l'école pour apprendre avec vous. J'ai mal dans la poitrine mais je suis capable d'endurer : j'ai l'habitude, vous savez. Je suis seulement fatiguée… ça va passer, ne vous inquiétez pas pour moi !

— Non, Alphonsine, cette fois, c'est non ! Tu dois aller te coucher. Écoute-moi et obéis !

— Mais je vais prendre du retard, mademoiselle, gémit encore la fillette.

— Non, tu ne prendras pas de retard. Tes camarades t'apporteront chaque soir leurs leçons : tu pourras les recopier dans ton cahier et tu feras tes devoirs dès que tu iras mieux. Paul, et toi, Rosette, vous allez accompagner Alphonsine jusqu'à chez elle. Et ne traînez pas en route !

De guerre lasse, la petite malade prépara son cartable en soupirant. Puis elle quitta la classe la tête basse, le pas traînant, après avoir jeté à sa maîtresse d'école un regard lourd de reproches, mais où brillait toutefois une étincelle de reconnaissance.

* * *

Quelques jours passèrent. Un matin, en entrant dans la classe, Gabrielle fut frappée par le silence inhabituel qui y régnait. On aurait pu y entendre une mouche voler. Les écoliers étaient assis chacun à leur place, figés dans un mutisme pesant, le nez baissé sur leur pupitre. Certains d'entre eux avaient les yeux cernés, comme s'ils avaient mal dormi, voire pas du tout.

— Eh bien, les enfants, que se passe-t-il ? interrogea l'institutrice avec candeur. Vous n'avez pas envie de travailler aujourd'hui ?

Aucun d'eux ne broncha. Puis la voix étranglée de Nanette s'éleva du milieu de la salle :

— C'est Alphonsine, mam'zelle… elle reviendra pus en classe.

— Mais pourquoi donc ? s'exclama la première. Elle est toujours malade ?

La petite fille se mit à fixer le plancher sans répondre.

— Elle est… elle est morte, mam'zelle, osa enfin Paul, d'une même voix brisée qui résonna bizarrement dans le silence.

— Morte ? s'écria l'enseignante, incrédule. Comment cela, morte ? Ce n'est pas possible ! Mais qui vous a raconté cela ?

— C'est nos parents qui nous l'ont dit, mam'zelle… hier soir. C'est vrai, elle est morte, vous pouvez nous croire.

Ce fut comme si tout le petit monde de sa classe s'écroulait autour d'elle. Sous le choc, Gabrielle blêmit, ses jambes fléchirent et elle dut s'asseoir à son bureau. Elle enfouit son visage dans ses mains et prit une profonde respiration avant de refaire surface. Elle ne pouvait s'abandonner à ses émotions devant ses élèves, d'autant plus que les premières questions commençaient à fuser parmi les petits.

— C'est quoi la mort, mam'zelle ? demanda Jacquelin, toujours aussi curieux. J'entends tout l'temps parler d'ça mais j'sais pas c'que ça veut dire.

La jeune fille tenta de faire bonne contenance. D'une main tremblante, elle prit le petit catéchisme qui traînait sur un coin de son bureau.

— Votre livre dit… commença-t-elle en avalant à grand-peine sa salive, votre livre dit… en fait, il ne dit pas grand-chose, si ce n'est que notre corps disparaît mais que notre âme, elle, ne mourra jamais car elle est douée d'une intelligence et d'une volonté libres. C'est un peu compliqué pour vous à comprendre.

Prise d'un soudain découragement, elle referma son ouvrage :

— Je n'ai pas de réponse à vous donner, mes pauvres enfants… vous demanderez à monsieur le curé, il vous expliquera ces choses mieux que moi. Je n'en sais pas plus que vous… j'ignore ce qu'est la mort.

— Moé, je sais, lança la dénommée Céline, c'est quand on quitte la terre et qu'on monte au ciel. Alphonsine, astheure, elle est au paradis !

— Tu as sans doute raison, approuva l'institutrice, saisissant la balle au bond. Elle était si gentille et si dévouée.

Jean, le benjamin de la classe, qui avait écouté jusqu'à présent ces échanges sans mot dire, leva vers elle des yeux pleins de tristesse :

— Mam'zelle, elle voulait être médecin, vous savez. Vous croyez qu'elle va soigner les anges et les petits bébés morts là-haut ?

Gabrielle ravala de justesse le flot de larmes qui menaçait de déborder.

— Oui, je suis sûre que le Bon Dieu va lui permettre de le faire. Il aura bien besoin d'elle pour l'aider dans son ouvrage.

— Moé, j'comprends pus rien, interrompit alors Jacquelin. Si elle est vivante dans le paradis, alors pourquoi elle va pas revenir à l'école ? Pis ça veut dire qu'les bébés, ben ils sont pus malades ni morts quand ils sont là-haut ! Au fait, est-ce que je vais être mort, moi aussi, un jour ? Pis les autres ? Pis vous, mam'zelle ?

— Écoutez, les enfants, répondit la maîtresse d'école, submergée par cette avalanche de questions, Alphonsine vit sous une autre forme maintenant. C'est son âme qui est partie au ciel et c'est pourquoi elle ne pourra plus revenir parmi nous. Oui, Jacquelin, nous mourrons tous un jour, c'est une loi de la nature. Toi aussi, mais dans très, très longtemps : tu n'as pas à t'inquiéter pour cela car tu as encore une longue vie devant toi.

— Moé, Alphonsine, elle me manque beaucoup, déclara Nanette. C'était ma grande copine. J'ai envie de la revoir… une dernière fois.

Gabrielle réfléchit quelques instants.

— Moi aussi, elle va beaucoup me manquer et j'aimerais la revoir… comme toi, une dernière fois. C'est pourquoi je propose que nous allions lui rendre visite cet après-midi chez elle pour lui faire nos adieux. Elle nous verra du haut du ciel et cela lui fera très plaisir. Ceux d'entre vous qui le souhaitent pourront m'accompagner, les autres pourront rester chez eux. Maintenant, vous allez vous lever, et tous ensemble nous allons faire une prière. Ensuite, comme nous n'avons pas le cœur à travailler, vous ferez ce que vous voudrez jusqu'à l'heure du dîner : lire, dessiner ou écrire quelque chose pour Alphonsine. Mais en silence, s'il vous plaît, afin de respecter notre deuil commun et l'âme de notre chère petite amie, qui a besoin de se reposer après son long voyage jusqu'au paradis.

* * *

Ils furent une vingtaine d'élèves à se porter volontaires pour aller dire un dernier au revoir à leur camarade. Au début de l'après-midi, lorsque Gabrielle revint de chez madame Saint-Onge – où elle avait remplacé sa tenue quotidienne par une veste, une jupe et des souliers noirs plus conformes aux circonstances –, ils l'attendaient devant la porte de l'école. La petite troupe s'engagea sur une longue piste sablonneuse, bordée de sapins et de fragiles épinettes. Encadrant leur institutrice, les grands devant, les petits derrière, les enfants marchaient par petits groupes, en silence ou en bavardant à voix basse. Au bout d'un moment, les plus jeunes vinrent la prendre par la main, par le bras ou par un pan de son manteau, comme s'ils cherchaient à se rassurer ou à lui apporter quelque réconfort. La quiétude presque solennelle des lieux fut seulement troublée par un vol d'oies bernaches qui passa très haut dans le ciel, en formation triangulaire, en poussant de sonores ê-houc ! ê-houc !

— Où y vont, les oiseaux, mam'zelle ? s'enquit le petit Jean.

— Comme chaque automne, ces outardes migrent dans le sud du continent, expliqua Gabrielle. Elles passent l'hiver au Mexique, où il fait beaucoup plus chaud qu'ici.

— Oh, elles en ont de la chance ! On dirait qu'elles font un V, hein, mam'zelle ? Pourquoi ?

— Tu as raison, mon bonhomme, je vois que tu as bien retenu les lettres de ton alphabet. Comme elles doivent effectuer un très long voyage, plusieurs oies se mettent à l'avant pour protéger les autres du vent : ainsi, celles-ci bénéficient des courants produits par les ailes des premières et ont moins d'efforts à fournir pour voler. Lorsque les oies de tête sont fatiguées, elles vont à l'arrière et d'autres prennent leur place.

— Moé, ça me fait penser au voyage d'Alphonsine, déclara rêveusement Céline.

— Ta remarque est tout à fait pertinente. Sais-tu qu'il y a très, très longtemps, dans une contrée lointaine qu'on appelle l'Égypte, et plus tard, dans certains Vieux Pays, les gens croyaient que l'âme des morts s'envolait sous la forme d'une oie ?

— Mais p't-êt' que des oies ont accompagné l'âme d'Alphonsine jusqu'au paradis...

— Jusqu'au paradis, je ne sais pas, car il se trouve très, très loin, dans une dimension que nous ne pouvons même pas soupçonner et que nos yeux seraient incapables de voir. Mais peut-être l'ont-elles accompagnée un bout de chemin, qui sait ? En tout cas, c'est une très jolie pensée que tu as eue là pour Alphonsine, Céline.

Un quart d'heure plus tard, les marcheurs bifurquèrent dans un chemin de traverse qui s'enfonçait dans les bois et atteignirent bientôt une clairière. Une pauvre cabane en rondins, percée d'une porte et de deux étroites fenêtres, s'élevait au milieu d'un bouquet de petits arbres qui se serraient frileusement les uns contre les autres. En entendant les visiteurs approcher, les parents d'Alphonsine sortirent sur le seuil. Leurs vêtements de deuil soulignaient leur pâleur extrême. Leur air accablé et leur dos voûté les faisaient paraître beaucoup plus vieux que leur âge – cinquante ans peut-être. Bien qu'encore rougis par le chagrin, leurs yeux étaient tout secs à force d'avoir pleuré. Gabrielle fut frappée de retrouver chez la paysanne le même regard noir, vif et anxieux, qu'Alphonsine.

— Mam'zelle Roy, merci, merci d'être venue avec tous ces enfants, dit cette dernière en serrant avec effusion la main de l'enseignante dans les siennes. C'est la tuberculose qu'a emporté not' pauvre petite.

— Je m'en doutais, répliqua l'intéressée d'une voix blanche, mais comme elle parlait d'une bronchite…

— M'sieur l'docteur voulait pas qu'on lui dise la vérité pour pas l'effrayer, précisa le fermier. Y a rien pu faire, la maladie était trop avancée. Pis d'toute façon, on aurait jamais eu les moyens d'l'envoyer à l'hôpital.

— Monsieur et madame Durocher, je tenais à vous dire qu'Alphonsine était ma meilleure élève, déclara Gabrielle, la gorge nouée par l'émotion. C'était une petite fille exceptionnelle, non seulement agréable et obligeante envers ses camarades, mais aussi douée d'une volonté et d'un courage rares chez une enfant. Je l'aimais beaucoup. Je regrette… je ne sais que dire… nous sommes tous bouleversés.

— Elle vous aimait et vous admirait beaucoup aussi, mam'zelle Roy, reprit la malheureuse mère. Sa maîtresse d'école, c'était quequ'chose, vous savez ! Mais entrez, entrez don avant qu'on vienne nous la prendre ! Elle va être enterrée tout à l'heure.

Gabrielle et ses élèves pénétrèrent dans la modeste demeure : les meubles et les objets avaient été ôtés de la pièce principale et entassés en vrac dans une chambre voisine. Au centre de cet intérieur entièrement nu, Alphonsine, revêtue de sa robe de communiante blanche à dentelles, était exposée à même une planche recouverte d'un drap, dont les extrémités reposaient sur deux chaises qu'on avait placées dos à dos, à quelque distance l'une de l'autre. Sa parure scintillait doucement dans la pénombre, qui faisait ressortir l'apparence fluette de son corps et la minceur de son petit visage hâve. Quatre adolescents, ses frères et sœurs sans doute, la veillaient debout en marmottant des prières.

Les arrivants se signèrent et firent cercle autour d'elle dans le silence le plus complet. À la fois impressionnés et fascinés, les enfants ouvraient tout rond les yeux, et la bouche pour certains, en l'examinant des pieds à la tête.

— On dirait une princesse, chuchota son amie Nanette, admirative. Elle ressemble à la Belle au Bois dormant.

— Moé, j'trouve pas, souffla Jacquelin, on dirait plutôt une poupée d'cire.

Gabrielle eut le cœur serré en découvrant l'expression de douleur profonde qui était gravée sur ses traits : la vaillante fillette avait dû longtemps lutter contre la mort avant de s'avouer vaincue.

Les nouveaux venus se recueillirent pendant quelques minutes, puis madame Durocher interrompit la méditation dans laquelle l'institutrice semblait s'être plongée.

— Mam'zelle Roy, c'est p't-êt' pas bon que vot' classe reste trop longtemps icitte… la maladie, vous comprenez.

L'enseignante acquiesça.

— Les enfants, dit-elle en s'adressant aux écoliers, vous allez vous relayer par groupes de cinq ou six tous les quarts d'heure pour tenir compagnie à Alphonsine jusqu'à son départ pour le cimetière. Les autres vont venir avec moi dans le bois.

À regret, les élèves quittèrent leur camarade pour suivre Gabrielle, laissant les plus âgés d'entre eux effectuer un premier tour de garde.

Alors que le groupe déambulait avec tristesse dans un sentier, Nanette prit la parole :

— Moé, j'aimerais ben faire un cadeau à Alphonsine. Y'a rien chez elle.

— Oui, mais on a rien à lui offrir non pus, soupira Jacquelin, on savait pas qu'y fallait apporter quequ' chose.

— Oui, c'est dommage, répétèrent les enfants en chœur.

À peine avaient-ils prononcé ces mots qu'un rayon de soleil, filtrant à travers les nuages, se glissa entre les sapins et les épinettes, éclairant une tache rose qui s'étalait au loin, dans une clairière. Au fur et à mesure qu'ils avançaient, les promeneurs distinguèrent une sorte de mare dont la teinte tirait sur le rouge. Puis la lumière révéla soudain un immense tapis de roses sauvages.

Les enfants poussèrent des exclamations émerveillées.

— Des églantines ! Regardez comme c'est beau !

— Le p'tit Jésus a entendu ta prière, Nanette ! Vite, faisons un bouquet !

— Comme elle va être contente, Alphonsine !

— Profitez-en car ce sont de toute évidence les dernières fleurs de l'année ! les encouragea Gabrielle. Et peut-être même les seules de la région.

Tous les écoliers s'élancèrent avec des cris de joie et se mirent à cueillir autant d'églantines qu'ils le pouvaient. Leur peine paraissait s'être envolée en un clin d'œil. À présent, c'était à qui ramasserait le plus grand nombre de fleurs, les plus jolies, les plus douces, les plus colorées. Elles débordaient de partout : de leurs casquettes, de leurs tabliers, de leurs poches, de leurs bas. Gabrielle admira la facilité et la rapidité avec laquelle les enfants étaient passés de l'affliction à l'allégresse. Leur visite officielle à la petite morte s'était transformée en une joyeuse chasse au trésor.

— Bon, ça suffit, maintenant, dit l'institutrice au bout d'un moment. Allons porter tout cela à Alphonsine !

De retour à la cabane, les écoliers commencèrent à effeuiller leurs bouquets autour de leur compagne en babillant et en échangeant des sourires heureux. Les parents Durocher les regardaient faire, à la fois attendris par leur geste et pleins de gratitude à l'égard de ces humbles fleurs champêtres qui illuminaient leur pauvre maison tout en leur mettant du baume au cœur. Puis, s'enhardissant, les petits fleuristes firent pleuvoir une pluie de pétales sur Alphonsine, au point qu'elle en fut bientôt recouverte. Seul émergeait de ce lit de roses son fin visage exsangue, sur lequel on crut enfin percevoir un sourire.

— Cette fois, on dirait une vraie princesse, fit observer Jacquelin à l'intention de Nanette.

— Oh, mais non, rétorqua celle-ci, c'est pus une princesse, c'est une sainte maintenant…

Les vœux des enfants avaient été exaucés.

Quant à Gabrielle, c'était la première fois qu'elle avait vu le soleil à Marchand. Ce devait être la dernière.

12

Assise sur son lit, dans la douceur ouatée de la maison de madame Saint-Onge, Gabrielle relisait le télégramme qu'elle avait trouvé en rentrant de sa journée de travail :

Mademoiselle Côté guérie et prête à reprendre son poste demain – SVP revenez à Winnipeg pour prochain rendez-vous – Docteur McIntyre

Elle avait accueilli cette nouvelle brutale avec autant de surprise que de déception, n'ayant effectué que la moitié du remplacement de trois mois qui était prévu, mais aussi avec un certain soulagement.

En effet, elle n'était pas fâchée de devoir quitter Marchand.

Elle ne s'y était jamais vraiment adaptée, malgré l'amitié que lui portaient l'abbé Lavallée et une partie de ses élèves ; malgré aussi les attentions dont l'avait entourée sa proprié-taire en lui ménageant un havre de paix et de confort, à l'abri de tout souci matériel.

Depuis plusieurs semaines, elle se posait beaucoup de questions : non seulement sur les expériences qu'elle avait vécues dans ce village, mais aussi sur sa vocation de maîtresse d'école.

Bien qu'elle eût toujours fait l'effort de se mettre au niveau de ses élèves, tout en se montrant exigeante envers eux, et de rendre ses cours accessibles et attrayants – en particulier par le biais d'une pédagogie fondée sur la lecture de contes et de poèmes, sur l'image et sur le jeu –, il lui avait bien fallu se rendre à l'évidence : les résultats n'avaient pas été à la hauteur de ses attentes et seul un petit nombre d'écoliers, parmi les plus âgés, poursuivrait des études une fois l'année terminée. Indisciplinés, peu doués pour le travail intellectuel en général et influencés par un milieu familial qui ne l'encourageait guère, voire le méprisait, la plupart d'entre eux suivraient fatalement la voie déjà tracée par leurs ancêtres : les garçons reprendraient la modeste ferme parentale ou s'établiraient sur une terre où ils s'escrimeraient leur vie durant ; les filles se marieraient, trimeraient à la maison et dans les champs, tout en élevant une nombreuse progéniture.

Face à ce constat frustrant, Gabrielle n'avait pu s'empêcher de se remettre en cause. Certains de ces élèves avaient-ils décroché à cause d'elle ? N'avait-elle pas été capable de leur inculquer le goût du travail bien fait, de les intéresser à ses activités, de leur ouvrir d'autres horizons que celui, étriqué et statique, de leur quotidien à Marchand ? À moins que leur désintérêt de l'école ne fût venu de l'obligation qu'ils avaient d'étudier dans une langue étrangère : en dépit de leur jeune âge, ils devaient bien se demander pourquoi et dans quel but, en tant que Canadiens français, ils étaient contraints à subir un enseignement en anglais… Elle-même trouvait ce procédé hypocrite, artificiel et quelque peu absurde. Certes, il restait bien les plus jeunes et les tout petits, qui manifestaient beaucoup de bonne volonté, de curiosité et d'imagination, mais pour combien de temps encore ? Au contact de leurs aînés, ne risquaient-ils pas de changer à plus ou moins brève échéance et, sous la pression familiale, d'abandonner leurs espoirs d'un autre avenir que celui d'agriculteur ?

Au désengagement de ses élèves s'était ajouté le harcèlement de leurs parents, qui ne l'avaient jamais acceptée, et cela, même si elle les avait toujours accueillis avec bienveillance dans sa classe. Les plus effrontés d'entre eux s'étaient permis de venir contester les notes attribuées à leurs rejetons et de comparer ses méthodes d'enseignement avec celles de l'institutrice précédente, allant jusqu'à lui reprocher l'épidémie de poux qui s'était déclarée un temps dans l'école. Pourtant, ce n'était pas faute d'avoir expliqué aux écoliers les règles de base de l'hygiène : dès son arrivée, elle avait accroché des images explicites aux murs de la classe et dessiné un énorme pou au tableau pour les mettre en garde contre les désagréments, voire les maladies, que cette bestiole était susceptible de provoquer. Mais des mères s'étaient offusquées lorsque leurs enfants avaient réclamé qu'elles leur lavent les cheveux avec une lotion antiparasite. Par ailleurs, à aucun moment elle n'avait pu compter sur le soutien de monsieur Allard, le commissaire d'école : prévenu contre elle depuis le jour de la rentrée, ce dernier l'évitait et elle le soupçonnait de médire sur son compte.

Et puis cette charge d'institutrice lui paraissait tellement lourde ! Entre la préparation des cours, leur explication, la correction des devoirs, la tenue des registres et du journal de classe, ainsi que l'organisation des jeux et des sorties dans la nature, elle avait l'impression de ne pas avoir une minute à elle. Le soir, après sa journée de travail, elle rentrait souvent chez madame Saint-Onge épuisée et fourbue. Elle se désolait de ne pas trouver la disponibilité d'esprit nécessaire pour écrire – à l'exception de notes dans son journal intime – et manquait de temps pour correspondre avec les membres de sa famille, surtout avec sa mère, à laquelle elle aurait tant eu besoin de se confier. En outre, elle n'avait pu adresser en tout et pour tout qu'une seule lettre au docteur McIntyre. Par conséquent, elle s'interrogeait sur le choix d'une telle profession : épuiserait-elle ainsi ses forces son existence durant dans ce travail astreignant et ingrat ? Parviendrait-elle jamais à concilier écriture et enseignement ? Lui faudrait-il désormais se consacrer exclusivement à ses élèves au détriment de ses proches ?

Enfin, il y avait eu la mort de sa meilleure élève, Alphonsine, qu'elle ne parvenait pas à oublier et qui avait achevé de la décourager. Elle se repassait souvent chaque détail de la pénible journée de son enterrement. Vers quinze heures, un charretier et son aide étaient arrivés chez les Durocher avec un cheval attelé à un tombereau, dans lequel un petit cercueil en bois clair reposait sur une litière de paille fraîche. Pendant qu'elle faisait sortir ses élèves de la cabane, les deux hommes avaient fait reculer l'animal devant le seuil et basculer l'arrière du véhicule afin de pouvoir en décharger plus aisément la bière puis l'y hisser à nouveau. Sous les coups de marteau, chaque clou qui s'enfonçait dans le cercueil et dans le cœur des visiteurs avait arraché des sanglots à la mère de la défunte. Ensuite, le convoi s'était mis en route, suivi du fermier, soutenant sa femme, de leurs enfants, de Gabrielle, et enfin des élèves.

Le trajet, qui s'était effectué au rythme du clopinement du cheval et des grincements du chariot, avait paru interminable. Le vent s'était levé, amassant des nuages gris foncé au-dessus de ce lugubre cortège, courbant les sapins et les épinettes, agitant les mains griffues des arbustes et des racines noires, comme pour un dernier salut à la petite morte. Parvenus à l'église, où patientait l'abbé Lavallée, entouré des enfants de chœur et de villageois venus apporter un peu de réconfort au couple, le conducteur de la charrette et son commis avaient déposé le menu cercueil sur des tréteaux recouverts d'un drap blanc. Pâle et grave, François Lavallée avait célébré la messe des morts, empreinte à la fois de gravité et d'émotion, en rappelant les qualités peu communes de l'écolière tandis que les servants chantaient avec des trémolos dans la voix. Puis, précédés du porteur de la croix de procession, de la chorale et du curé, qui agitait son encensoir, les proches de la disparue s'étaient rendus en priant au petit cimetière situé derrière l'église, dans un enclos. Entre les pierres tombales, le vent faisait crisser des herbes sèches, mortes elles aussi. Le fossoyeur, sa bêche plantée au sommet d'une montagne de terre, attendait le cortège devant la fosse béante. Au moment où l'on y avait descendu le cercueil au moyen de cordes, Gabrielle avait croisé fugitivement le regard muet de désespoir des malheureux parents. Alors, tandis que François Lavallée prononçait la prière des défunts, elle avait laissé libre cours à son chagrin, mêlant ses larmes à celles de ses élèves.

Deux semaines après le drame, si les enfants avaient oublié leur camarade et recouvré leur joie de vivre, en revanche, sa propre blessure ne s'était pas encore refermée. Quel était donc le sens de cette courte vie, fauchée comme un épi de blé dans la plaine sans fin par la moissonneuse implacable de la mort? Elle se remémorait l'expression de poignant regret qui avait flétri les traits de la fillette : au moment de s'éteindre, cette dernière avait compris que son rêve de devenir médecin ne se réaliserait jamais. Depuis, Gabrielle se sentait coupable de n'avoir pas détecté chez elle les symptômes de la tuber-culose, alors que, suivant les préceptes de ses professeurs de l'École normale, elle avait effectué maintes recommanda-tions aux écoliers : manger des aliments frais, boire du lait ayant bouilli pendant vingt minutes, jouer le plus possible à l'extérieur et surtout aérer leur chambre afin que le soleil y pénètre. Pourquoi n'avait-elle pas approfondi davantage ses connaissances sur cette maladie?

Non, décidément, elle partirait sans état d'âme de Marchand : trop de mauvais souvenirs l'accablaient et s'attacheraient pour longtemps à cet endroit. Elle avait besoin de s'en éloigner pour réfléchir à son véritable avenir. Besoin de s'évader de cet univers étroit et marqué par le malheur pour se replonger dans celui, plus vaste et riche de promesses, qui avait commencé de naître sous sa plume. Plus encore, elle avait envie de se fuir elle-même.

Elle froissa le télégramme de son supérieur en soupirant et prépara avec résolution ses bagages.

***

Le lendemain, elle se rendit de bonne heure à l'école pour éviter de croiser Marie-Jeanne Côté et fit ses adieux à ses élèves.

En voyant les petits fondre en larmes, elle réalisa soudain à quel point elle les aimait et combien il lui en coûtait, en fait, de s'en séparer.

— Partez pas, mam'zelle! hoquetait le petit Jean en se collant à elle.

— On veut pas d'mam'zelle Côté, lui fit écho Jacquelin en s'accrochant à son manteau, c'est vous qu'on veut!

— Oh oui, restez, mam'zelle! implorèrent d'autres enfants.

Touchée aux larmes, Gabrielle s'efforçait de sourire.

— Il ne faut pas dire cela, protesta-t-elle avec douceur, mademoiselle Côté est une institutrice très gentille et très compétente. Vous verrez, vous apprendrez plein de nouvelles choses avec elle. Et vous l'aimerez… autant que moi, ajouta-t-elle d'une voix étranglée par l'émotion. Je vous avais prévenus que je n'étais pas ici pour très longtemps: je ne peux pas demeurer avec vous.

Partagées entre la joie de retrouver leur ancienne institutrice et la peine de perdre la nouvelle, les fillettes – Céline, Nanette, Liselotte, Eugénie, Lynette et quelques autres – lui firent promettre de revenir un jour leur rendre visite. Gabrielle embrassa alors tout son petit monde, caressa des têtes, tapota des joues, ébouriffa les cheveux des grands, et, pour consoler les plus jeunes, leur distribua tout le contenu de ses poches: des bonbons, quelques pièces de monnaie, un bout de crayon, un minuscule cheval en bois aux jambes brisées, qu'elle avait ramassé un jour sur la route, et jusqu'à son mouchoir en dentelle. Puis, après avoir jeté un dernier coup d'œil à sa classe – sa première école!, comme elle s'était naïvement exclamée en découvrant celle-ci pour la première fois –, elle partit sans se retourner sous la pluie des « au revoir, mam'zelle ! », afin que les écoliers ne la voient pas pleurer.

Elle embrassa à son tour madame Saint-Onge, qui, les yeux embués de tristesse, lui offrit un cornet de scones et de biscuits fraîchement pâtissés pour son voyage, et serra longuement la main de l'abbé Lavallée en l'assurant de lui envoyer bientôt de ses nouvelles. Enfin, elle prit son sac, sa valise et son carton à chapeaux, et se hâta vers l'arrêt de la gare pour attendre son train.

Le même silence mortel que le jour de son arrivée pesait sur Marchand. Le même corbeau, perché sur un poteau, la salua d'un croassement aigre. Le même vent chassait des virevoltants, qui roulaient dans un glissement sec le long de la rue principale. Les mêmes nuages gris sombre enserraient l'étendue de la plaine, comme s'ils voulaient l'étouffer. Malgré le désert qui l'environnait de tous côtés, augmentant le sentiment d'abandon qui la poignait, elle eut la désagréable sensation que quelqu'un l'observait à son insu. Elle se retourna et aperçut le visage de madame Leduc, sa première logeuse, qui s'encadrait à la fenêtre de la cuisine de l'hôtel. Son sourire mauvais et le regard luisant d'ironie que cette dernière lui lança accrurent sa certitude qu'elle avait échoué dans sa mission de maîtresse d'école.

***

— Comment, Miss Roy, vous voulez quitter l'enseignement ? Mais… vous plaisantez, j'espère !

Assis à son pupitre, dans son bureau de l'École normale de
Winnipeg, le docteur McIntyre fixait son interlocutrice d'un
regard à la fois ahuri et consterné par-dessus ses lunettes à
monture d'acier.

Face à lui, affaissée sur sa chaise, Gabrielle n'en menait pas
large. Elle avait un air piteux et baissait le nez comme une
élève prise en faute.

— Non, monsieur le directeur, répondit-elle, j'ai bien
réfléchi. Je ne pense pas que ce soit ma voie.

Le proviseur avait blêmi.

— Alors toutes ces études effectuées pour rien ? s'exclama-
t-il presque avec colère. Avez-vous au moins un autre emploi
en vue ?

— Non, monsieur le directeur, j'ignore totalement ce que
je vais faire.

L'intéressé prit une profonde inspiration, tentant de conserver son calme :

— Écoutez, Miss Roy : je crois que vous êtes en train de
commettre la plus grave erreur de votre vie. Vous savez aussi

bien que moi qu'il y a peu de débouchés professionnels pour une femme dans la société. Vous n'allez tout de même pas prendre le premier petit boulot venu !

— Non… enfin, je n'en sais rien, monsieur le directeur, balbutia la jeune femme.

— Permettez-moi de vous dire que je ne vous imagine pas un seul instant ouvrière d'usine ou vendeuse dans un grand magasin. Même pas secrétaire : vous ne le supporteriez pas une seule journée. Vous méritez mieux, me semble-t-il. Mais qu'espérez-vous donc à la fin, Miss Roy ? Vous venez d'un milieu modeste, vous n'avez pas les moyens d'effectuer des études dans un domaine quelconque à l'Université ni de vous lancer tout de suite dans l'écriture : le meilleur métier que vous puissiez encore exercer est celui d'institutrice, croyez-moi ! Que dit votre mère de votre décision ?

— Oh, elle pleure…

— Je comprends : elle était très fière de vous et vous êtes en train de ruiner ses expectatives. Cette pauvre dame a tant travaillé pour vous permettre de parvenir là où vous êtes !

— Et puis comme je ne suis restée qu'un mois et demi à Marchand, je n'ai pas pu lui donner autant d'argent qu'elle espérait. Je n'en ai déjà presque plus pour moi.

— Ne vous en faites pas pour cela. Étant donné que nous vous avons fait revenir ici avant la fin de votre contrat, je me suis arrangé avec le Department of Education pour que vous perceviez la seconde partie de votre salaire. Et vos sœurs, que pensent-elles de votre résolution ?

— Hum, Anna et Adèle se moqueraient de moi si elles l'apprenaient. Je ne m'en suis confiée dans une lettre qu'à Bernadette, la religieuse. Elle m'a répondu… la même chose que vous, en fait.

— Et à juste raison. Il va falloir vous ressaisir, Miss Roy…

— Mais cela n'a pas marché, docteur McIntyre ! s'écria Gabrielle, qui paraissait être au bord de la crise de nerfs. Constatez par vous-même !

— Comment, cela n'a pas marché ? Qu'est-ce qui vous permet d'affirmer cela ? Et puis comment voulez-vous juger toute une carrière sur un simple remplacement d'un mois et demi ?

— Eh bien, les élèves… ils étaient difficiles et leurs résultats…

— Je vous arrête tout de suite. D'une part, je ne connais pas une seule institutrice qui ne se soit fait chahuter à ses débuts. J'admets que ces enfants-là y sont allés un peu fort, mais vous avez rattrapé la situation avec habileté, non ? D'autre part, j'ai ici leurs bulletins de notes : ils ne sont pas si catastrophiques que cela, disons qu'ils sont moyens. Là encore, comment pouvez-vous juger de toute une année scolaire sur un seul mois et demi de travail? D'ailleurs, certains de vos élèves ont déjà progressé, ce qui n'était pas le cas l'an passé avec mademoiselle Côté, sachez-le.

— Ah bon? Alors ces résultats vous paraissent… normaux? interrogea la jeune fille d'une petite voix plaintive.

— Tout ce qu'il y a de plus normaux. Certes, vous allez m'objecter que bon nombre de ces écoliers deviendront de bien ordinaires fermiers, mais quoi de plus honorable et de plus souhaitable pour un pays agricole comme le nôtre? Plus tard, vous verrez que vous en retrouverez aussi dans d'autres catégories professionnelles. Vous pourriez même en avoir influencé quelques-uns de façon durable et avoir un jour des surprises, qui sait? Pour le reste, ne vous obnubilez pas sur la poignée d'irréductibles cancres qui encombrent les classes: il y en aura toujours et quoi que vous fassiez, vous n'en tirerez jamais rien. Le système d'éducation s'acharne à les traîner un maximum d'années durant, ce qui est, selon moi, parfaitement inutile et insensé. Et quand leurs parents ne les obligent pas à manquer l'école pour les envoyer travailler aux champs, ils trouvent en elle un moyen pratique pour s'en débarrasser: en d'autres termes, ils la considèrent comme une garderie. Ces jeunes-là ne sont, par nature, ni doués ni faits pour apprendre, ils ont autre chose en tête que les études et sont trop vieux pour user leur fond de culotte sur les bancs d'une classe aux côtés de petits enfants. En général, ils fréquentent l'école de manière de plus en plus irrégulière, pour finir par s'évanouir dans la nature. C'est ainsi. Franchement, vous n'avez rien à regretter.

— Mais le commissaire d'école… gémit encore Gabrielle.

— Ah, Mister Allard… En effet, le compte rendu qu'il nous a fait parvenir ne plaide pas en votre faveur mais il est davantage connu des services d'éducation pour ses billets d'humeur que pour l'objectivité de ses rapports. Il semble être un homme au caractère impulsif ou sourcilleux. Vous veniez de la ville, c'est un campagnard, par conséquent, il était mal à l'aise avec vous. De plus, il a dû être influencé par ces quelques parents d'élèves qui ne juraient que par mademoiselle Côté parce qu'elle est de la même région qu'eux. Je n'ai pas accordé plus d'importance à son avis que ce qu'il mérite.

— Je vous remercie de votre compréhension et de votre soutien, monsieur le directeur, rétorqua Gabrielle en soupirant un peu d'aise.

— En revanche, s'empressa de poursuivre le responsable, profitant de cette éclaircie, nous avons reçu une lettre très élogieuse à votre sujet de la part du curé du village. Voyons, comment s'appelle-t-il déjà? Monsieur… pardon, l'abbé Lavalley… oui, Francis Lavalley (il prononçait François Lavallée à l'anglaise), qui vous a chaudement recommandée pour un autre poste.

Son intérêt soudain piqué, la jeune femme releva vivement la tête.

— Ah oui ? s'étonna-t-elle.

— Mais oui, tenez, lisez-la ! dit le docteur McIntyre en lui tendant une liasse de feuillets sur lesquels courait la petite écriture toute en rondeurs du religieux. Il a suivi de très près votre travail et n'a que de bons mots à votre égard. Il loue votre sérieux, votre application, la qualité de vos cours, votre tact, la relation exceptionnelle que vous avez développée avec certains de vos élèves, les petits en particulier : beaucoup d'entre eux vous aimaient et vous regrettent, vous savez. Et contrairement à ce que vous pensez, plusieurs parents ont apprécié votre travail à sa juste valeur et ont été sensibles à tout ce que vous avez fait pour leurs enfants. Il me semble que le curé d'un village est la personne la mieux placée pour connaître les opinions de ses paroissiens. Enfin, reconnaissez que les quelques personnes qui vous ont posé problème étaient surtout les parents des mauvais élèves !

— C'est exact, approuva Gabrielle, dont les yeux commençaient à briller.

Son cœur palpitait de reconnaissance à l'endroit de l'ecclésiastique et elle sentit l'espoir et la confiance renaître peu à peu en elle.

— Francis Lavalley souligne le courage dont vous avez fait preuve dans un contexte qu'il me décrit comme étant très particulier, enchaîna l'administrateur, qui ne désespérait pas de faire changer d'avis la récalcitrante, avec un village isolé, des gens que le labeur et de nombreuses épreuves ont endurcis, des enfants souvent livrés à eux-mêmes… Miss Roy, je sais que vous avez traversé des moments difficiles, très difficiles même – j'en connais le détail – mais tous les villages ne se ressemblent pas et tous les gens ne sont pas comme ceux de Marchand. Ne sautez pas aux conclusions hâtives en vous fondant sur une première et unique expérience !

Gabrielle hocha la tête en signe d'assentiment. Réconfortantes, tant la lettre de François Lavallée que les paroles du docteur McIntyre avaient presque réussi à la convaincre de reprendre du service.

— Je suis également très conscient que vous n'avez pas eu de chance avec le décès de la petite Durocher, renchérit ce dernier, mais la tuberculose est un fléau qui ravage la société depuis des siècles. Attendez-vous à voir mourir d'autres enfants. Il faudra vous blinder. Ce qui est arrivé n'est en aucun cas votre faute : vous avez effectué correctement votre travail de prévention des maladies. Hélas !, cette fillette était déjà condamnée avant votre arrivée à Marchand. Non seulement le médecin du village n'a pas pu la sauver, mais les plus grands chercheurs de notre époque n'ont toujours pas trouvé de remède à la phtisie. Alors, qu'auriez-vous pu faire de plus, vous, une simple institutrice ? Ne prenez pas toute la misère du monde sur vos épaules, sinon vous souffrirez toute votre vie. Miss Roy, j'ai près de cinquante ans d'expérience dans l'éducation… vous avez confiance en moi, n'est-ce pas ?

— Bien sûr, docteur McIntyre !

— Alors, écoutez-moi bien : je n'ai jamais dit que le métier d'institutrice était facile, bien au contraire, mais quand j'affirme que vous êtes faite pour celui-ci, vous pouvez me croire. J'en ai vu défiler, des demoiselles des écoles, vous savez ! Je sais aussi que vous aviez choisi cette profession pour avoir du temps pour écrire. Vos débuts ne vous l'ont pas permis, rien de surprenant à cela : il vous fallait vous préparer et vous adapter à vos fonctions. Toutefois, lorsque vos programmes et vos cours seront davantage au point, votre tâche vous paraîtra plus aisée, plus légère, et au fur et à mesure que vous acquerrez de l'expérience, vous libérerez du temps pour vous adonner à votre passion. J'ai confiance en vous, je sais que vous pourrez y arriver. Et même, je crois en vous. Alors… ne me décevez pas !

À présent, Gabrielle était suspendue aux lèvres de son supérieur. Chaque mot de son discours se gravait profondément dans son esprit.

— Vous n'avez pas travaillé en vain, ajouta encore le dirigeant, qui, conscient d'avoir marqué des points, continuait à avancer ses pions. Je vous avais promis de vous trouver une place à Saint-Boniface : je finirai par vous la trouver, soyez-en certaine. En attendant, j'ai une bonne nouvelle pour vous, et même une très bonne nouvelle. Considérez-la comme une récompense pour votre dur labeur. Je vous propose un poste à Cardinal : ce village se trouve dans la région de vos ancêtres et de votre famille, n'est-ce pas ?

— C'est vrai ? À Cardinal ? s'écria la jeune fille, le visage soudain illuminé de bonheur. Ce n'est pas possible ! Mais mon oncle Excide Landry habite à côté ! Je passais toutes mes vacances là-bas lorsque j'étais plus jeune. J'y ai tous mes cousins, des amis…

— Alors vous pourrez passer toutes vos fins de semaine chez votre oncle si cela vous fait plaisir, annonça le directeur, ravi d'avoir enfin regagné son ancienne étudiante à sa cause, et dont le visage se fendit d'un sourire. Et cette fois, c'est un poste d'une année, que la commission scolaire du village avec laquelle j'ai négocié et moi-même vous offrons. Votre maman pourra même vous rejoindre pendant les vacances.

Gabrielle n'en croyait pas ses oreilles. Elle se sentait de nouveau pousser des ailes.

— Alors vous voulez toujours quitter l'enseignement ? questionna ironiquement le principal. Vous refusez ce poste, j'imagine ?

La maîtresse d'école se retint de lui sauter au cou.

— Quand dois-je commencer, docteur McIntyre ?

— Mais aussitôt que possible, Miss Roy, aussitôt que possible. L'institutrice de Cardinal vient d'obtenir sa mutation en ville : tout le monde vous attend déjà là-bas !

13

La vieille Ford de l'oncle Excide, conduite par son fils Cléophas, avait sillonné plus de deux heures durant le quadrillage des routes rectilignes du sud-ouest du Manitoba, qui découpait la Prairie en un immense damier de champs noirs, bruns, ocres, verts, ou d'un jaune roussi par le soleil de ce milieu d'octobre.

À présent, elle gravissait lentement la montagne Pembina – les Amérindiens l'avaient jadis baptisée ainsi en raison des fruits, les pimbinas, qui y poussaient l'été en petites grappes rouges. Ses contours doux et arrondis offraient un contraste frappant avec la platitude des plaines, qui s'étiraient à perte de vue sous le long ciel bleu.

Assise à la droite de son cousin, Gabrielle ne pouvait détacher son regard de l'incendie de couleurs que l'automne avait allumé dans les collines. Rouges, roses, orangées, jaunes, vertes, les feuilles des érables, des frênes et des viornes étince-laient au gré des jeux d'ombre et de lumière du soleil, jusqu'à devenir transparentes. Sous le léger souffle du vent, certaines semblaient prendre leur envol en un essaim de papillons chatoyants ; d'autres, suspendues aux branches telles de petites poires dorées, effleuraient délicatement le chemin poudreux. Sur le vert foncé des sapins et celui, plus pâle, des mélèzes, flamboyaient des feuillages roux. Partout, les arbustes, les buissons, les broussailles s'embrasaient. La plus humble racine paraissait s'être vêtue d'une robe de bal miroitante de diamants.

Plongés au cœur de cette féérie, la jeune fille et son chauffeur, émerveillés, demeuraient silencieux comme pour mieux s'imprégner du spectacle.

— On a un sapré bel été des Sauvages c't'année, fit enfin observer Cléophas. Profites-en ben parce que dans quequ' jours tout ça sera terminé !

— Cléo, je ne sais comment te remercier d'être venu me chercher à Saint-Boniface, répondit Gabrielle, et surtout d'avoir fait tout ce détour.

— Ça m'fait plaisir, Gaby, rétorqua le jeune homme de dix-huit ans en souriant sous sa fine moustache noire. J'savais que ça t'rappellerait d'bons souvenirs. Ça m'fait une belle promenade à moé aussi, c'est pas tous les jours. Enfin, l'père peut ben s'débrouiller tout seul quequ' z'heures à la ferme, j'ai encore travaillé fort à matin avec les bêtes, le train, la traite… Pis c'est pas tout l'monde qu'a la chance d'conduire sa cousine maîtresse d'école à sa job. C't'un honneur pour moé.

À la fois flattée et gênée du compliment, Gabrielle émit un petit rire et se replongea dans la contemplation du paysage. Cependant, elle remarqua avec un soupçon d'étonnement et de tristesse qu'à chaque fois que le véhicule se rapprochait de l'éblouissante végétation, ses couleurs, étrangement, se dérobaient au regard : insaisissables, elles pâlissaient, s'estompaient par degrés, prenant une tonalité morne qui finissait par s'éteindre – comme si elles n'étaient que des mirages ou que la nature s'amusait à rappeler aux êtres humains l'éphémère de ses beautés et la fragilité de toute vie.

Déjà, la voiture descendait une dernière pente, la magie colorée des petites montagnes s'éloignait et la plaine recouvrait ses droits, gigantesque reptile gris-vert au dos nuancé de rose et de violet, qui rampait vers l'infini lointain. On arrivait à Cardinal.

C'était un petit village couleur sang de bœuf, composé d'une quarantaine de maisons et de bâtiments publics – un hôtel, une banque, un bistrot, quelques commerces, une salle des fêtes – alignés des deux côtés de la rue principale. Il égrenait encore dans les plaines un chapelet de fermettes, de granges rondes et de cabanes d'un rouge vif, jaunes, vertes ou bleues. Seules l'église et l'école en planches détonnaient par leur blancheur. Cette dernière, sise à l'extrémité de la commune, semblait paître comme un gros mouton au milieu de son champ.

Cléophas gara le tacot devant le magasin général, qui arborait le traditionnel fronton de style western. Ses gérants s'étaient proposé de louer une chambre à la nouvelle institutrice, en attendant qu'on lui aménage une maisonnette dans le village. Le jeune homme sauta lestement du véhicule et descendit du siège arrière les bagages de sa cousine. En sortant à son tour de la voiture, ankylosée par les longues heures de route, cette dernière fut accueillie par une savoureuse odeur de sirop et de confitures qui emplissait l'air. Elle remit sa tenue de voyage en ordre – un chapeau et un ensemble veste et jupe longue aux teintes feuille morte – et fit quelques pas pour se dégourdir les jambes.

Une certaine animation régnait dans la localité : des voitures, des charrettes à cheval et quelques cavaliers se croisaient dans la rue poussiéreuse et dénuée d'arbres, des passants chargés d'emplettes ou de gros sacs de marchandises se saluaient d'un trottoir de bois à l'autre, des enfants couraient en criant, poursuivaient des chiens ou taquinaient un gros chat lové sur le rebord d'une fenêtre. Du jardin arrière des maisons s'échappait le grincement régulier de scies sur le bois qu'on remisait en prévision de l'hiver.

Gabrielle s'apprêtait à frapper à la porte adjacente à l'établissement, lorsque celle-ci s'ouvrit et une grosse femme dans le début de la quarantaine, enceinte jusqu'aux yeux, ses bras épais et nus sortant d'une robe de cotonnade à fleurs, fit son apparition. Ses yeux d'un bleu lumineux et son sourire hospitalier faisaient oublier son visage fade, encadré de cheveux ternes qui lui tombaient sur les épaules. Une fillette de neuf ou dix ans, aux yeux du même bleu et aux nattes blondes, la suivait en se serrant timidement contre elle.

— Bonjour, mam'zelle Roy, fit la première, on vous attendait avec impatience! J'espère que z'avez fait bon voyage.

Et, se tournant vers l'enfant qui se trouvait derrière elle:

— Voyons don, cache-toé pas comme ça, c'est ta nouvelle maîtresse d'école! C'est Louise, ma cadette, ajouta-t-elle à l'intention de Gabrielle. Une très bonne élève, vous verrez.

— Bonjour, Louise, dit la jeune femme avec un grand sourire.

Elle se pencha pour lui tendre la main, que la petite serra avec un brin d'appréhension.

— Entrez, ma belle demoiselle, reprit la propriétaire, vous aussi, m'sieur Landry! Ça fait un boutte qu'on vous a pas vu par icitte. Ça va t'y comme vous voulez? Pis vot' père?

— Pas pire, mam' Chastel, répondit l'intéressé en posant les valises de sa cousine pour ôter sa casquette. La besogne lui pèse quequ'fois un peu dur sur les genoux. C'est qu'y rajeunit pas, mais tant qu'y a ma sœur Léa pis moé pour l'aider…

— Pis un beau gars comme vous, comment ça s'fait-y qu'est toujours pas fiancé?

— Oh, j'ai pas vraiment l'temps, grommela Cléophas en hochant la tête. Pis les filles, vous savez c'que c'est, elles veulent toutes rester en ville astheure.

Pendant que le jeune paysan et la commerçante échangeaient des politesses et les nouvelles, le regard de Gabrielle faisait le tour du propriétaire. En dépit de son confort rudimentaire et du désordre qui y régnait, la cuisine où elle se tenait était claire, propre et chaleureuse. Elle aima aussitôt cet intérieur caractéristique des pionniers de la région. Un papier peint blanc, où se succédaient des motifs de vasques roses et de petites marmites orange débordantes de bouquets de fleurs et de feuilles, apportait une touche de gaieté à la pièce. Une table rectangulaire en chêne et des chaises en occupaient le centre. Sur la toile cirée à carreaux verts et blancs, des assiettes en grès et leurs couverts en aluminium voisinaient avec des carafes et des bouteilles en verre, un hachoir à viande et un moulin à café, un plateau à gâteaux et une tranche à pain. Un vaisselier, une machine à coudre Singer, un coffre et un banc-lit complétaient le mobilier. À droite trônaient une fournaise à bois et à charbon, et une cuisinière au-dessus de laquelle étaient suspendues des poêles et une boîte à sel. À gauche figurait un évier à pompe. À proximité s'entassaient pêle-mêle sur le plancher des ustensiles, une baratte à beurre et un grand contenant à eau potable recouvert d'un linge tendu par des épingles. Aux murs, des photographies de famille dans des cadres ovales et des portraits en médaillon côtoyaient des images pieuses et un bénitier. Enfin, des tablettes supportaient une pendule de style Napoléon III en bois noir à colonnettes et chapiteaux, ornée de petits sujets en bronze doré, ainsi qu'une lampe d'époque 1900 en verre peint avec des roses fuchsia sur un fond ivoire, rose clair et jaune, quelques statuettes religieuses et un violon.

L'attention de Gabrielle fut bientôt attirée par un gros poupon qui, assis sur sa chaise haute, pataugeait avec une cuillère dans sa bouillie en se barbouillant la figure.

— Quel beau bébé ! s'exclama-t-elle en le prenant dans ses bras.

Elle caressa avec précaution son petit crâne duveteux. Le petit lui sourit de toutes ses premières dents en gazouillant de joie.

— C'est Émile, mon dernier, annonça la patronne avec fierté, il a tout juste dix mois. Ben dites-moé, y vous a vite adoptée : c'est pas à tout l'monde qu'y fait des mines de même. On peut dire que z'avez l'tour avec les enfants, vous !

Tout à coup, une galopade effrénée, accompagnée d'une cascade de rires, retentit au-dessus de leurs têtes.

— J'en ai cinq autres, précisa la mère de famille, tous des gars. Hé, vous aut', là-haut, c'est-y pas betôt fini ? On s'entend pus causer ! Z'avez pas honte ? cria-t-elle à travers le plafond, ce qui fit aussitôt cesser le vacarme. Y z'ont voulu m'aider à faire l'arrangement dans vot' chambre pis y font les intéressants astheure. J'vas vous la montrer, venez-vous-en!

Précédant Cléophas, chargé des bagages, Gabrielle et Aline, la grosse femme gravit l'escalier raide qui s'élevait au fond de la cuisine, et les marches craquèrent sous son poids. Parvenue à l'étage, dans un couloir étroit, elle s'arrêta pour reprendre son souffle.

— S'cusez, mam'zelle, comme vous voyez, j'suis repartie pour la famille, déclara-t-elle en désignant son ventre proéminent d'un bref coup de menton, y'en a encore pour deux mois d'long à attendre.

Gabrielle lui fit un petit signe entendu.

La logeuse ouvrit la porte de la première chambre. D'une taille modeste mais agréable, elle comprenait un lit en pitchpin à hauts montants et quelques meubles en pin de style Art déco : une table de chevet, sur laquelle étaient posés une lampe à abat-jour garni de dentelles et une pendulette, un chiffonnier, un bureau, une petite table de toilette avec ses accessoires, et une chaise. La tapisserie semée de fleurs champêtres s'harmonisait avec la courtepointe et les rideaux de l'unique fenêtre à guillotine, qui donnait sur la rue. Un miroir ovale, une image du Sacré-Cœur-de-Jésus encadrée de bougeoirs et quelques tableautins recouvraient les murs.

— Ça vous plaît-y, mam'zelle ? demanda la maîtresse des lieux. C'est p't-êt' un peu p'tit mais c'est tout c'que j'ai à vous offrir. S'y vous faut aut'chose pour vos livres ou j'sais pas quoi, mon mari vous arrangera ça à soir.

— Ce ne sera pas nécessaire, madame, cela me convient tout à fait, la rassura Gabrielle, qui trouvait la chambre fort à son goût. C'est très joli.

Tandis que les adultes jasaient, des visages d'enfants s'étaient glissés par l'entrebâillement de la porte. Mais malgré les invitations de Gabrielle à entrer dans sa chambre, les cinq garçons de la maison s'enfuirent les uns après les autres avec des chuchotements et de petits rires étouffés.

— Une vraie bande de sauvages ! soupira leur mère, faites-vous en pas, faut juste leur donner l'temps d's'habituer à vous. Bon, astheure, on va vous laisser tranquille, mam'zelle Roy, z'avez certainement besoin d'vous reposer pis c'est vot' rentrée demain.

— Et... pour le commissaire d'école ? interrogea cette dernière, un grain d'anxiété dans la voix.

— Oh, m'sieur Rochette, y viendra pas beaucoup vous achaler : y est à Notre-Dame-de-Lourdes, le village voisin... enfin, vous connaissez. Un brave homme à part de ça.

Y passera par icitte un d'ces jours, pour sûr, pis si y'a quequ' chose qui presse, mon mari lui téléphonera. Allez, viens-t'en, Louise !

— Pis moé, faut que j'm'en retourne chez nous, déclara Cléophas, l'père doit m'attendre pour rentrer les bêtes. Viens-t'en nous visiter quand ça fera ton affaire, Gaby, la porte sera toujours ouverte pour toé. Bonne chance avec ton école et à la revoyure !

Il embrassa sa cousine sur les deux joues et le petit groupe quitta la pièce. Après avoir adressé un dernier geste à Cléophas par la fenêtre, Gabrielle entreprit de ranger ses affaires.

* * *

Vers dix-huit heures, son hôtesse l'appela pour souper. Monsieur Chastel venait de rentrer de la boutique. C'était un petit homme d'une cinquantaine d'années, aux cheveux noirs séparés par une raie, dont le nez rouge et rond brillait comme une cerise bien mûre au milieu du visage. Son tablier bleu, serré à la taille, laissait poindre un début d'embonpoint. Aussi affable et souriant que son épouse, il gratifia la jeune femme d'une franche poignée de main et s'enquit si elle ne manquait de rien. Leur mère leur ayant sans doute fait la leçon, les garçons vinrent cette fois se présenter à elle – âgés de six à onze ans, ils se prénommaient Jacques, Marius, Adelphe, Nephtali et Jeannot –, puis on passa à table. Soucieuse d'être agréable à sa locataire, madame Chastel avait mis les petits plats dans les grands : elle apporta une soupe aux tomates, des mini tourtières, un bouilli au bœuf et aux légumes, et un pouding au riz, le tout accompagné d'une odorante miche de pain, d'un petit vin fait maison et de café. L'estomac dans les talons au terme de cette longue journée, Gabrielle ne se fit pas prier pour manger de grand appétit et félicita le cordon-bleu, qui rougit jusqu'aux oreilles.

La soirée se déroula dans une ambiance des plus conviviales. Très vite, la pensionnaire s'était sentie aussi à l'aise au sein de cette famille que s'il s'était agi de la sienne. On parla de tout et de rien : de l'ancêtre Chastel, qui, poussé par la misère comme le grand-père de Gabrielle, avait quitté le Québec à la fin du siècle dernier pour prendre terre au Manitoba ; de la parenté qu'on avait encore là-bas ; de celle qui s'était disper-sée dans tout le Canada et qu'on avait petit à petit perdue de vue ; des connaissances qu'on avait en commun dans la région ; des affaires qui ne marchaient pas fort en ce moment à Cardinal, en raison de la concurrence des Anglais implan-tés à Somerset, le village voisin ; et de l'hiver qui arriverait encore trop tôt cette année.

Comme toujours, la jeune fille adorait entendre les gens lui raconter leur passé, qui résonnait avec les souvenirs nostal-giques de Mélina, et les petits faits de leur quotidien : parés de toutes les couleurs de son imagination, ils prenaient pour elle une dimension presque mythique. Elle en consignait les moindres détails dans sa mémoire afin de les utiliser dans quelque récit qu'elle se promettait d'écrire un jour, lorsqu'elle en trouverait le temps.

Quant aux enfants, impressionnés par leur future institutrice, ils l'observaient en silence, bouche bée. Cependant, rapidement conquis par sa jeunesse d'esprit, sa gentillesse et sa simplicité, ils ne tardèrent pas à réclamer son attention. Quittant leur place sans attendre la permission de leurs parents, ils vinrent se camper jusque sous son nez, lui grimpèrent sur les genoux, l'obligèrent à écouter leur babillage et à relater plusieurs fois les mêmes anecdotes sur son enfance passée dans la « grande ville » de Saint-Boniface ou encore sur ses anciens élèves. Même Louise semblait avoir perdu toute crainte à son endroit : tantôt blottie contre elle, elle pépiait comme un moineau, tantôt plantée devant elle en la fixant avec de grands yeux, elle buvait chacune de ses paroles.

Au bout d'un moment, comme les gamins la bombardaient tous en même temps de questions et qu'elle ne comprenait plus rien, la conteuse finit par crier grâce en riant. Moitié sérieuse moitié amusée, leur maman frappa alors dans ses mains pour obtenir le silence et leur rappela qu'ils ne devraient pas se comporter ainsi lorsqu'ils se retrouveraient le lendemain en classe avec mademoiselle Roy. Puis, neuf heures ayant sonné à la pendule, elle envoya tout son petit monde se coucher. Un quart d'heure plus tard, tombant de sommeil, Gabrielle se glissa à son tour entre ses draps.

* * *

L'institutrice remontait en trottinant la grand-rue de Cardinal qui conduisait à l'école. Malgré l'heure matinale – le quart de huit heures sonnait au clocher de l'église Sainte-Thérèse –, le village était réveillé depuis longtemps et les habitants vaquaient à leurs occupations. Campés sur le seuil de leur boutique, quelques commerçants la suivirent des yeux avec curiosité. Des passants la saluèrent respectueusement ou lui sourirent avec bienveillance : sans doute la nouvelle de son arrivée avait-elle déjà fait le tour de la commune ; à moins que le petit cartable qu'elle balançait au rythme de sa marche attestât de sa fonction. Plusieurs hommes se retournèrent vers elle, admiratifs. Il fallait dire qu'en dépit de son jeune âge et de sa taille menue elle avait belle allure, la maîtresse d'école, dans le tailleur bleu vert que Mélina venait tout juste de lui confectionner, et dans ses fins souliers à talons. Son chapeau cloche de la même couleur rehaussait l'éclat de ses yeux et mettait en valeur le flot de ses boucles blondes, qui moussait sur ses épaules.

Arrivée à mi-chemin, elle fut tout à coup saisie d'une angoisse. Bien qu'elle eût passé une bonne nuit de sommeil et pris un solide petit-déjeuner, elle sentit une boule se former au creux de son estomac, puis monter et descendre lentement dans sa gorge. «Et si les élèves se comportaient comme ceux de Marchand en ce jour de rentrée?» se demanda-t-elle avec appréhension. Elle ralentit son allure. D'autres questions se pressaient dans son esprit: à quel genre d'enfants et de parents allait-elle avoir affaire? Allait-elle devoir supporter autant de travail et affronter autant de difficultés que lors de son premier poste? Et si elle ne se montrait pas à la hauteur dans ses programmes? Et si… et si… Elle se raidit, marqua un arrêt. Aux fenêtres des maisons, des coins de rideaux se soulevèrent, révélant des observateurs invisibles, quelques visages maussades se collèrent même aux vitres. «Allons, se dit-elle dans son for intérieur, ce n'est vraiment pas le moment de flancher!» Même si elle avait traversé une période de découragement, elle avait conservé une haute idée de sa mission. Et puis elle ne pouvait pas se permettre de décevoir sa mère et le docteur McIntyre une seconde fois. Chassant ses pénibles souvenirs et les doutes qui l'assaillaient, elle se composa un visage décidé et reprit sa route. De forme carrée, coiffée d'un toit légèrement pentu et surmontée d'un élégant clocheton, la petite école Saint-Louis semblait l'attendre au cœur de la prairie. Le soleil, qui illuminait ses fenêtres et sa cloche de bronze, acheva de dissiper ses inquiétudes.

Elle n'eut d'ailleurs pas à s'interroger longtemps sur l'accueil qu'allaient lui réserver les écoliers de Cardinal. Une dizaine d'entre eux étaient déjà réunis au pied du perron.

Dès son arrivée, ils firent cercle autour d'elle et lui adressèrent en chœur un joyeux «bonjour, mam'zelle!». Tout petits en regard de la plaine sans fin qui les entourait, ils n'étaient guère impressionnants et, nonobstant leur maintien gauche et timide d'enfants de la campagne, ils avaient des visages francs, des yeux rieurs.

— Bonjour, vous, leur répondit-elle avec un sourire détendu. Eh bien, vous êtes en avance, l'école ne commence qu'à neuf heures!

— Nos parents nous ont dit de pas arriver en retard, répondit une fillette d'environ neuf ans en se balançant de droite à gauche, pis on avait hâte de voir not' nouvelle maîtresse!

Rassurée par cette première prise de contact, Gabrielle gravit les quelques marches de l'escalier, les élèves sur ses talons. En grinçant, la porte s'ouvrit sur la plus jolie petite classe dont une maîtresse d'école ait jamais rêvée. D'une propreté impeccable et rangée avec soin, elle avait la couleur blonde et chaude du miel. Les rayons du soleil faisaient reluire le plancher, l'estrade et les meubles polis à la cire d'abeille: la vingtaine de pupitres doubles reliés à leur banc, le bureau, l'armoire, la bibliothèque avec ses livres sagement alignés sur leurs étagères. Au centre de la pièce, un poêle était déjà prêt à l'emploi. Au-dessus du pupitre de l'institutrice, le portrait de William Lyon Mackenzie King, l'actuel premier ministre du Canada, souriait dans son cadre de bois doré. Le tableau noir était surmonté d'un crucifix taillé dans une tige de blé garnie de son épi et du drapeau de l'Union Jack, croisé avec une bannière aux armoiries du Manitoba : une croix rouge sur fond blanc, sous laquelle un bison paissait dans un carré de verdure. Tout autour de la pièce, des cartes de géographie et des dessins d'élèves naïfs et vivement coloriés alternaient avec des gravures représentant les différentes étapes de la culture du blé, qui vantaient la richesse et la fertilité des terres manitobaines. On y voyait des paysans robustes et souriants s'activer dans les champs, poser devant des machines agricoles ou arborer avec fierté leurs instruments de labour et leurs outils.

« Une vraie petite école de conte de fées », songea Gabrielle.

En respirant la bonne odeur de bois, d'encre et de craie qui y flottait, elle se sentit à nouveau dans son élément.

— C'est ma maman qu'a fait le ménage pis tout mis en ordre, déclara d'un air crâne la même petite fille, qui s'appelait Gisèle Fouasse. Pis regardez, mam'zelle, y'a une surprise pour vous !

— Une surprise ? fit l'enseignante.

Se tournant de tous les côtés, elle finit par découvrir, tracé à la craie en grosses lettres malhabiles sur le tableau, le message suivant :

BIENVENUE, MADEMOISELLE ROY !

— Comme c'est gentil! s'exclama-t-elle, la voix tremblante d'émotion.

— Pis y'a encore ça, ajouta Gisèle en lui désignant son futur bureau. C'est d'not' part à tous nous aut'!

Sur le meuble, un gros bouquet de fleurs champêtres aux teintes brun rougeâtre s'épanouissait dans un vieux broc ébréché.

— Oh, des asclépiades! s'écria Gabrielle en serrant la gerbe contre elle, elles sont magnifiques! Je ne m'attendais pas à tout cela, je suis très touchée. Merci, merci, mes enfants!

Ravis, les écoliers, qui l'avaient jusqu'ici suivie pas à pas en guettant ses réactions, gagnèrent leur place et entreprirent de défaire leur cartable.

La jeune femme grimpa sur l'estrade afin d'apprécier davantage son nouvel environnement. Par les fenêtres on apercevait la rue du village, ainsi que la voie ferrée, bordée par la gare et ses dépendances – une cabane à outils, une citerne à eau, quelques wagons désaffectés servant de logement aux cheminots – et par des silos. Dans un pré voisin, quelques vaches broutaient à proximité d'une antique cabousse – de l'anglais *caboose*, voiture d'hiver tirée par un cheval – abandonnée dans un coin. Son pupitre, en revanche, était orienté vers la plaine: il donnait sur une légère élévation de terrain, qui allait se perdre dans des guérets noirs accotés contre le ciel bleu. Des wagonnets de nuages blancs se mettaient lentement en branle dans les hauteurs. À la fois immobile et mouvant, le paysage finissait par se fondre dans l'horizon invisible.

Gabrielle ouvrit le tiroir du meuble et s'assura que l'institutrice précédente y avait bien laissé le registre d'appel et les documents nécessaires à son travail. Puis, après avoir sorti ses livres et ses cahiers de son cartable, elle fit sonner la cloche. Son timbre clair et allègre résonna au loin dans la plaine. Mais déjà, seuls, en bandes serrées ou en rangs clairsemés, les enfants arrivaient de partout : du village, des quatre coins de la plaine, de la crête de terre.

Un par un, ils pénétrèrent dans la classe en saluant Gabrielle, qui se tenait bien droite sur l'estrade, les mains derrière le dos, un large sourire aux lèvres. Ils paraissaient à la fois enchantés, curieux et impressionnés de rencontrer leur nouvelle maîtresse d'école. Ils suspendirent leur manteau aux crochets fixés des deux côtés de la porte et rejoignirent leur place respective. L'enseignante remarqua qu'ils étaient pour la plupart mieux vêtus que les enfants de Marchand.

À présent, la classe – qui, comme la précédente, comprenait huit divisions – bourdonnait comme une ruche. Mais dès qu'ils eurent disposé leurs affaires sur leur table, les écoliers firent silence et croisèrent les bras en dévisageant la demoiselle avec de grands yeux pleins d'expectative. Un bon nombre d'entre eux avaient une frimousse éveillée, un regard vif, une mine volontaire. Devant une telle attente de leur part, Gabrielle sentit une bouffée de joie orgueilleuse l'envahir. Ayant pleinement recouvré confiance en elle, elle était plus que jamais décidée à se battre, à abattre des montagnes et même à décrocher la lune s'il le fallait, afin de leur donner entière satisfaction et de réussir dans son nouveau poste.

Elle commença par leur souhaiter la bienvenue et par les remercier pour leurs délicates attentions à son égard, puis procéda à l'appel. Outre des petits Canadiens français comme les Chastel, la classe réunissait des Bretons, des Auvergnats, des Belges, des Suisses, et même des Italiens. Leurs différents accents chantaient avec délice aux oreilles de Gabrielle, tout en ajoutant un rayon de soleil dans la pièce. Parvenue à la lettre B, elle répéta deux fois le nom d'un élève car elle n'obtenait pas de réponse :

— Roderick Beauchemin… insista-t-elle encore.

Toujours pas de réponse. Levant la tête de son registre, elle s'aperçut alors qu'un banc était resté vacant au fond de la classe.

— Y est pas là, mam'zelle ! lança un grand, qui répondait au nom de Balthazar Blain.

— Oui, je vois bien qu'il est absent, rétorqua-t-elle, ce qui provoqua quelques rires, mais quelqu'un peut-il me dire pourquoi ? Est-il malade ?

— Non, mam'zelle, c'est son père qui l'garde à maison pour les travaux des champs, expliqua le même élève, y l'enverra quand ça fera son affaire.

— Mais il me semble que les travaux agricoles sont terminés à présent…

— Non, mam'zelle, y'a l'blé d'hiver à semer dans l'moment, mais y va revenir dans quequ' jours ou quequ' semaines.

— Quelques semaines! s'écria-t-elle d'un ton fort mécontent. Mais aucun élève ne peut manquer ainsi l'école!

— Y est vieux d'abord, Roderick, fit observer Marius, l'un des fils Chastel, vieux au moins comme nos parents…

— Alors, s'il est si vieux que cela, reprit la jeune fille en pouffant cette fois de rire, il n'a peut-être plus besoin de revenir à l'école!

— Oh, pour sûr qu'y va revenir, poursuivit Balthazar, z'en faites pas, mam'zelle! J'l'ai vu hier, y m'a dit qu'y allait revenir betôt.

— Vous savez, mam'zelle, y est méchant, Roderick, annonça alors Gisèle Fouasse.

— Oh oui, y est méchant, Roderick! lui firent écho les plus jeunes.

— Comment cela, méchant ? Vous a-t-il fait du mal dans la classe ou pendant la récréation ? Ou encore en dehors de l'école ?

— Oh non, mam'zelle, répliqua Gisèle, y s'occupe pas d'nous aut', on est ben trop petits !

— Alors il ne faut pas dire des choses comme cela d'un de vos camarades.

— C'est nos parents qui disent ça, précisa un dénommé Jean-Baptiste Bélanger, y fait du mal aux bêtes pis y fait des tas d'grosses bêtises pis y…

— Mais vous, les enfants, l'interrompit l'enseignante, excédée par cette litanie d'accusations, l'avez-vous vu tourmenter un animal ou faire de grosses sottises ?

— Non, mam'zelle, avoua le même petit garçon, c'est les gens qui disent ça dans l'village, y disent qu'c'est un bon à rin.

— Un bon à rien, corrigea Gabrielle. Mais il ne faut pas toujours écouter ce que disent les gens. Quoi qu'il en soit, les enfants, soyez assez aimables de rappeler à Roderick de venir au plus vite : sinon il risque de prendre un sérieux retard dans ses études et moi, je vais être obligée d'aller trouver son père.

Elle termina l'appel puis, selon son habitude, débuta son cours par la lecture d'un conte et son interprétation en français, qu'elle fit suivre d'une leçon de géographie en anglais. C'était l'une des matières qu'elle aimait le plus enseigner : non seulement son explication concrète par le biais de cartes, de photographies et de dessins parlait à l'imagination des petits, mais elle lui évitait d'avoir à juger les peuples et à prendre parti dans leurs conflits, à la différence de l'histoire, par exemple. Les enfants poussèrent des exclamations enthousiastes lorsque Gabrielle leur apprit que le Manitoba vendait son blé dans le monde entier et qu'il parviendrait peut-être un jour à nourrir tous les habitants de la planète. Dans l'ensemble, ils se révélaient avides d'apprendre, semblaient retenir les informations sans trop de peine et ne rechignaient pas à s'exprimer et à écrire en anglais.

L'institutrice se surprit à tenter de deviner quelle personnalité couvait sous leur visage, d'anticiper le chemin que chacun d'eux emprunterait dans la vie, et se projetant plus loin dans l'avenir, de percer le mystère de leur destinée. Forte de ses expériences passées, elle repéra aussi très vite, surtout parmi les plus vieux, les chahuteurs, les mauvaises têtes, les fiers-à-bras, bref, ceux qui ne manqueraient pas de lui donner du fil à retordre au cours de l'année. Un air trop sage ou trop absorbé, une allure faussement décontractée, un regard dont on tentait d'atténuer la duplicité ou l'éclat insolent, ou bien encore un excès de politesse à son endroit suffisaient à lui mettre la puce à l'oreille. Elle se promit dès lors de ne rien leur passer, quitte à entamer un véritable bras de fer avec eux, mais avant tout, de dispenser des cours si passionnants qu'ils finiraient par rejoindre d'eux-mêmes son camp et par travailler malgré eux. Après tout, une école sans élèves rebelles serait bien ennuyeuse, pensait-elle, et sans avoir la prétention de transformer des cancres en premiers de la classe, ce serait à l'évidence excitant et gratifiant d'assister à leurs progrès. Ainsi, tout en effectuant ses exposés, la maîtresse d'école bâtissait-elle les rêves les plus fous et se lançait-elle les défis les plus hardis.

* * *

Vers dix heures trente, elle libéra les écoliers, qui se dispersèrent dans le champ pour un quart d'heure de récréation. Elle sortit à son tour et s'assit sur une marche du perron pour les surveiller. Au bout d'un moment, elle remarqua que quatre garçonnets se tenaient à l'écart en devisant à voix basse. Elle leur fit signe d'approcher :

— Pourquoi n'allez-vous pas jouer avec vos camarades ? demanda-t-elle.

— Personne nous parle, répondit le plus âgé. Assortis à une manière bien particulière de rouler les « r », son teint bruni comme un pruneau, ses boucles et ses yeux noirs olive trahissaient ses origines méditerranéennes.

— Et vous, avez-vous essayé de parler aux autres ?

— Non. D'ailleurs, on veut pas : nous, on est les frères Santini, on est des Italiens, on parle à personne.

En prononçant ces mots, il s'était redressé de toute sa petite taille, bombant le torse, défiant presque son institutrice.

— Écoute, mon grand, le reprit cette dernière sans se laisser démonter, je comprends très bien qu'on puisse être fier de ses racines, mais sache qu'il n'existe aucune nationalité supérieure à une autre. Et puis vous êtes aussi des Canadiens et dans notre pays, tous les êtres humains sont égaux, quelles que soient leur race, leur couleur et leur langue. Pour moi, tous les enfants sont pareils et je les traite tous de la même façon dans ma classe. Crois-tu aussi, mon petit ami, que l'Italie serait devenue la patrie des arts, de la peinture et de la sculpture la plus admirée dans le monde, si les Italiens n'avaient parlé à personne, s'ils avaient refusé de partager leurs chefs d'œuvre avec les autres gens et les autres peuples ? Il est très important d'avoir des camarades : demain, j'expliquerai dans mon cours de morale que c'est le plus souvent à l'école qu'on forme des amitiés pour toute la vie et qu'on apprend à donner le meilleur de soi-même. Allez, faites un effort, allez rejoindre vos compagnons ! Tenez, les petits Tousignant par exemple, ils ont l'air très gentils. Je suis certaine qu'ils ne demandent qu'à vous parler et que d'ici quelques minutes, vous ne regretterez pas de vous amuser avec eux. *Capito ?*

— Si, mam'zelle ! acquiesça le fanfaron, qui avait violemment rougi sous son hâle.

Encore hésitants mais ayant compris la leçon, les petits Italiens s'avancèrent vers le groupe d'enfants en question, auquel ils ne tardèrent pas à se mêler. Tous sauf un, le plus jeune, qui était aussi le benjamin de la classe. En voyant ses frères s'éloigner, il se mit à pleurer toutes les larmes de son corps.

— Voyons, qu'y a-t-il mon petit Amédée? questionna Gabrielle avec douceur.

— J'veux pas rester ici! cria-t-il entre deux hoquets, j'veux rentrer chez nous! J'veux voir ma maman et mon papa!

— L'école n'est pas encore finie, mon bonhomme, il faut que tu attendes encore un peu. Mais je te promets que tu vas retrouver très bientôt tes parents.

Toutefois, comme il menaçait de hurler de plus belle, Gabrielle l'attira contre elle et improvisa une chansonnette. Le bambin se calma presque aussitôt: ayant essuyé ses pleurs de ses petits poings, il écoutait la ritournelle avec autant d'étonnement que d'intérêt, tout en observant les lèvres de la chanteuse. Et quand celle-ci le prit sur ses genoux pour le faire sauter en rythme, il éclata de rire.

C'est alors qu'une haute et longue silhouette se profila à l'horizon et se mit à traverser la petite prairie à grandes enjambées. À sa robe noire, dont les pans voletaient autour de lui, Gabrielle reconnut bientôt un prêtre. Il se dirigeait à vive allure vers elle.

Il paraissait furieux.

14

— Mademoiselle Roy, je suppose ?

L'ecclésiastique se dressait de toute sa hauteur devant Gabrielle, pâle de fureur sous son teint parcheminé, les sourcils froncés, les joues creusées, les mâchoires serrées. Âgé d'une soixantaine d'années, il était sec et maigre, pourvu de petits yeux asymétriques et inquisiteurs, d'un nez crochu et d'une bouche sévère. Ce physique ingrat lui conférait un aspect inquiétant qui, à la fois, impressionnait et inspirait le malaise.

— Bonjour mon père, répondit l'institutrice, qui, dès son arrivée, avait assis Amédée près d'elle sur le perron et s'était levée pour le saluer. Oui, je suis...

— Je suis l'abbé Arnulphe Hébert, l'interrompit-il avec dureté, en contenant à grand-peine sa colère, le curé de cette paroisse... depuis trente ans. Pourquoi n'êtes-vous pas venue vous présenter hier ?

— Je... j'avais... pardonnez-moi, mon père, j'avais l'intention de passer au presbytère en fin de journée, après l'école, bredouilla Gabrielle, aussi surprise que décontenancée par l'agressivité de l'homme d'Église. Hier, j'étais très fatiguée par mon voyage, et puis il a fallu que je m'installe, que je tienne compagnie à mes hôtes et que je prépare ma rentrée.

— Non, vous n'avez aucune excuse, ma fille ! Vous auriez dû venir me voir dès votre arrivée, c'était la moindre des politesses.

— Je n'y ai pas réfléchi… vous… vous m'en voyez confuse, mon père, balbutia de nouveau l'enseignante, dont la voix s'étranglait dans sa gorge.

— Et puis qu'est-ce que c'est que cette tenue ? Du bleu, et du bleu voyant encore ! Vous n'avez pas de vêtements noirs ?

— De vêtements noirs ? s'exclama Gabrielle, ébahie. Oui, j'ai des vêtements noirs, bien sûr, mais c'est ma tenue de deuil !

— Qui vous parle de deuil ? Mademoiselle Roy, nous ne sommes pas en ville ici : nos institutrices ont toujours porté du noir et j'entends que vous ne dérogiez pas à cette habitude !

— Ah bon ? Très bien, mon père, alors je mettrai désormais du noir, acquiesça la jeune fille, qui n'osa pas le contredire, sa mère lui ayant toujours répété de traiter les prêtres avec le plus grand respect.

— Maintenant, que faisait cet enfant sur vos genoux ? En voilà des façons ! C'est la première fois que je vois cela ici !

— Oh, il est tout petit, mon père ! se défendit Gabrielle en désignant Amédée, qui fixait l'arrivant avec de grands yeux effrayés. Il n'a pas tout à fait cinq ans. Il pleurait... c'est son premier jour d'école, vous comprenez.

— Croyez-vous que le rôle d'une institutrice soit celui d'une bonne d'enfants ? Et que c'est en prenant des garçons sur vos genoux que vous en ferez un jour des hommes ? Je gage que vous allez plutôt en faire des mauviettes !

— Je... j'ai toujours agi ainsi avec mes plus jeunes élèves. Je ne pensais pas que c'était mal.

— Eh bien, je vous conseille d'abandonner sans délai ces pratiques, ma fille ! Arrivons-en au principal, le catéchisme : vous devrez l'enseigner trois heures par semaine.

— Trois heures ? Mais c'est beaucoup pour des enfants ! Et même pour moi, mon programme est déjà très chargé.

— Trois heures, j'ai dit, quitte à faire des heures supplémentaires : c'est un minimum si nous voulons faire de ces sacripants des paroissiens accomplis, dociles et soumis à Notre Très Sainte Mère l'Église catholique et romaine. J'exige également que vous m'apportiez chaque semaine la préparation écrite de vos leçons d'histoire sainte, afin que je les lise et les corrige.

— Mais mon père, s'indigna d'un coup Gabrielle, qui sentait le rouge lui monter aux joues, je suis tout à fait capable d'enseigner le catéchisme ! J'ai reçu une excellente formation, vous pouvez me faire confiance. Je possède même des lettres de recommandation du curé de Marchand, où j'enseignais précédemment, et aussi de mes anciens professeurs, les sœurs des Saints Noms de Jésus et de Marie, à Saint-Boniface. D'ailleurs, j'étais toujours la première de la classe en instruction religieuse et à la fin de mon secondaire, j'ai été couronnée Reine de mai pour mes notes en catéchisme et en histoire sainte. Monseigneur Arthur Béliveau m'a même remis une médaille en or.

— Bah, fadaises que tout cela! Vous ferez comme vos consœurs précédentes, ma fille. Je suis encore le directeur des consciences de ce village et ici, tout le monde m'obéit.

— Très bien, je vous montrerai donc mon travail, mon père, soupira la jeune femme, bien décidée, cette fois, à n'en rien faire.

— Alors, dimanche prochain après la messe, n'est-ce pas? Je vous rappelle qu'ici, nous voulons une institutrice sérieuse, d'une conduite et d'une moralité irréprochables, et qui fréquente les sacrements. Au fait, à quand remonte votre dernière confession?

— À... à... il y a deux semaines, inventa sur-le-champ Gabrielle.

Si elle avait continué à se rendre à l'église quand ses études à l'École normale lui en laissaient le temps, en revanche, elle n'avait jamais remis le pied dans un confessionnal depuis son année de finissante. Pas même à Marchand, malgré les sollicitations de l'abbé Lavallée; mais celui-ci ayant deviné ses réticences à se confier à un jeune prêtre et connaissant par ailleurs la lourdeur de sa tâche et les difficultés auxquelles elle était confrontée, ne lui en avait pas tenu rigueur.

— Bon. Alors, à très bientôt, ma fille! lui jeta-t-il d'un ton glacial.

Et, en pointant un index menaçant vers elle: changez-moi cette tenue inconvenante au plus vite! Par la même occasion, attachez vos cheveux... vous aurez moins l'air d'une moppe!

Gabrielle rougit sous l'insulte.

— Bonne journée, mon père, fit-elle du bout des lèvres.

Elle le regarda s'éloigner avec soulagement. Pendant toute la durée de leur entretien, elle avait senti une tension pénible l'envahir et un poids de plus en plus lourd peser sur ses épaules.

«Quel personnage antipathique! se dit-elle. Et vieux jeu!»

Elle soupira. Eh bien, la partie s'annonçait rude! Elle tenta de démêler les pensées contradictoires qui l'agitaient et réfléchit à la meilleure attitude à adopter. Aucun dialogue ne paraissait envisageable avec cet ecclésiastique borné, qui avait la prétention de mener toutes ses ouailles à la baguette et devait sans aucun doute appliquer le dogme d'une façon stricte et rigide, digne d'un autre âge. Qu'il était différent de François Lavallée, qui, s'il se montrait ferme à l'égard de ses fidèles et soucieux d'administrer sa paroisse au mieux des exigences de l'Église, n'en possédait pas moins un cœur d'or et savait faire preuve d'ouverture d'esprit et de compassion! Mais s'opposer de front à l'abbé Hébert reviendrait à s'en faire un ennemi irréductible, capable de lui forger une mauvaise réputation dans le village et de nuire à sa carrière.

Partagée entre le souhait de faire plaisir à sa mère, à son entourage, et le dessein de préserver son libre arbitre, elle résolut de se plier aux volontés les moins contraignantes du ministre du culte et... d'ignorer les autres. Elle porterait du noir, une sage queue de cheval, et se rendrait comme à l'accoutumée à la messe dominicale; mais elle n'enseignerait qu'une heure de catéchisme par semaine – tel qu'elle l'avait fait lors de son poste précédent et que le préconisait d'ailleurs la circulaire de l'Association d'éducation des Canadiens français du Manitoba. Et elle demeurerait maîtresse de ses leçons de catéchisme et de sa pédagogie. Elle avait entendu parler de plusieurs cas d'institutrices qui étaient tombées sous la coupe de prêtres autoritaires et manipulateurs, lesquels avaient fini par prendre le contrôle total de leur classe. Or, à ses yeux, le rôle d'un religieux auprès d'une enseignante était avant tout celui d'un collaborateur et d'un conseiller: il ne pouvait en aucun cas se substituer à un directeur d'école ou se comporter comme un quelconque gourou.

En outre, il était hors de question que ce serviteur de Dieu à l'air fouineur et chafouin s'insinue dans sa vie intérieure, tente de soulever les replis intimes de son âme pour y dénicher elle ne savait trop quels péchés inavouables, et lui dicte des règles de conduite. Peut-être raisonnait-elle par certains côtés comme une petite fille gâtée – un travers que lui avaient maintes fois reproché ses sœurs aînées – qui, soutenue par Mélina et par le docteur McIntyre, avait coutume d'agir à sa guise, indifférente au qu'en-dira-t-on, un tantinet capricieuse et désinvolte; mais elle ne changerait ni sa personnalité ni ses méthodes de travail ni son mode de vie pour un vieux curé hargneux et sermonneur. «Bah, finit-elle par se dire avec l'insouciance de ses vingt ans, ce dernier doit être très occupé par sa paroisse et n'aura pas les yeux braqués en permanence sur moi! Le mieux serait encore de l'éviter le plus possible.»

Absorbée par sa classe, elle en oublia presque l'acariâtre abbé Hébert, sa visite importune et réfrigérante. En dépit des incidents inévitables qui ponctuaient le quotidien d'une maîtresse d'école, elle passa une journée agréable et enrichissante. Entre les leçons et leur application, elle laissa les écoliers s'exprimer, se prêta volontiers au jeu des questions-réponses, et rit de bon cœur de leurs enfantillages. Les paroles de son ancienne professeure, Miss July Willis, résonnaient à ses oreilles: «Si vous devez aimer vos élèves, rappelez-vous qu'eux aussi doivent vous aimer. Désormais, l'enseignement ne s'exercera plus à sens unique, seulement avec le libre consentement des deux parties.» Certes, il faudrait encore du temps pour se connaître, s'apprivoiser et s'apprécier tout à fait, mais un climat de confiance mutuelle commençait déjà à s'instaurer et, pour sa part, Gabrielle était toute prête à s'attacher à ses nouveaux petits disciples. Quelques grands – Édouard Moreau, Adélard Piché, Robert Bisson – tentèrent bien de repousser les limites de sa gentillesse et de sa patience ; cependant, quelques coups de griffes bien assénés eurent assez vite raison de leur audace. Étant donné qu'ils continueraient à la tester, elle savait qu'elle devait, dès le début, empoigner solidement les rênes de sa classe, jongler avec habileté entre autorité et tolérance, et surtout trouver le meilleur moyen d'intéresser des enfants difficiles.

Dès que les écoliers commencèrent à manifester des signes de fatigue, elle les relâcha : le rythme de travail allait s'intensifier à partir du lendemain. Bien qu'il ne fût pas encore seize heures, le jour déclinait sur la plaine, qui prenait des teintes mélancoliques et moroses. À l'horizon, le soleil, enveloppé dans une robe de chambre faite de nuages rougeoyants, jetait ses derniers éclats de couleur rubis. Gabrielle s'assit à son pupitre pour se reposer quelques instants et regarda par la fenêtre ses élèves s'éloigner. Quelques mains s'agitèrent pour lui adresser un dernier au revoir. Yves Kerrien, sérieux et réservé, allait seul, la tête rentrée dans les épaules, comme s'il portait un fardeau de soucis trop lourd pour son âge ; inséparables, Aurèle et Aurélie Comte se tenaient par la main en balançant leur cartable ; les quatre Santini marchaient en un groupe compact ; en revanche, les cinq Martel se suivaient à la queue leu leu, par ordre d'âge. Bientôt, leurs silhouettes se dessinèrent à contre-jour sur la collinette. Entre le ciel et la terre, le paysage semblait découper une ribambelle d'enfants de papier, minuscules sur l'étendue sans bornes des champs. Puis ils se fondirent en un seul point, dont la plaine ne fit qu'une bouchée dans l'ombre.

Malgré la réussite de sa rentrée, Gabrielle mesura alors avec angoisse la lourde responsabilité qui lui incombait de préparer ces petits êtres candides, fragiles et vulnérables, à affronter leur avenir. Elle-même était encore si jeune, si inexpérimentée et si incertaine de son propre destin !

* * *

En revenant à son logis, elle aperçut monsieur et madame Chastel par la vitrine du magasin général, la seconde portant le poupon Émile sur son bras. Debout derrière leur comptoir, sous le faisceau d'une lampe à pétrole qui descendait du plafond, ils bavardaient avec une cliente. Gabrielle décida de s'arrêter pour les saluer. Le timbre énergique d'un carillon retentit dès qu'elle poussa la porte.

— Bienvenue, mam'zelle Roy ! lança le commerçant avec un large sourire, ça va bien ? Z'avez ben un p'tit creux astheure...

Il prit une grosse pomme ronde et juteuse dans un casseau qui se trouvait devant lui et la lui tendit.

— Tenez, mam' Blanchette, ajouta-t-il à l'intention de sa première interlocutrice, en voici une aussi pour vous !

— Merci beaucoup, vous êtes trop aimable, monsieur, dit Gabrielle en rosissant de plaisir.

— Y'a pas d'mal à faire du bien à son prochain, rétorqua le marchand. J'serai pas plus pauvre... ni plus riche, du reste, enchérit-il en riant.

Tout en croquant son fruit, la jeune fille détaillait l'établissement. Ce dernier se distribuait entre une épicerie, un petit bureau de poste et une arrière-boutique. Des étagères et des compartiments tapissaient la pièce principale, où régnait un joyeux capharnaüm. Sur les tablettes s'empilaient des marchandises, des bouteilles de Coca Cola, des conserves, des contenants à sirop de maïs et des boîtes de tabac. Gabrielle s'amusa à en déchiffrer les marques aux noms évocateurs : Château Québec, Old Virginia, Old Chum, Export, Alouette, Sweet Caporal. Les casiers, sur lesquels étaient cloués un calendrier et des réclames jaunies, débordaient d'outils, d'articles agricoles et d'ustensiles de cuisine. Sur le comptoir, une balance et une imposante caisse enregistreuse en laiton, ouvragée de motifs Art nouveau, trônaient parmi des bocaux de biscuits et de bonbons, des caissettes de fruits et des rouleaux de papier d'emballage brun. Des cordages, des barils remplis de clous et des sacs de graines étaient dispersés sur le plancher. Un poêle rondelet, nanti d'un tuyau de guingois, se dressait au centre du magasin. Dans un coin, trois tables rondes, sur lesquelles étaient posées de petites lampes à cheminée de verre, attendaient avec leurs chaises les clients qui venaient disputer des parties de cartes le soir ou en fin de semaine. Mêlées aux senteurs de vieux bois, des odeurs disparates contribuaient à recréer l'atmosphère d'une boutique rustique et chaleureuse du temps des premiers pionniers.

La voix de madame Chastel tira Gabrielle de son examen des lieux :

— Pis, vot' journée, mam'zelle Roy ? Ç'a-t'y été comme vous voulez ?

— Tout s'est bien passé, madame, les enfants sont très gentils, répondit-elle.

Soupçonnant qu'à l'égal de nombreuses gens de la campagne, ses propriétaires étaient chatouilleux sur le chapitre des prêtres et de la religion, elle préféra passer sous silence sa rencontre avec l'irascible abbé Hébert.

— Ouf, ça va pas durer, décréta la cliente en se joignant à la conversation sans en avoir été priée, attendez don un peu qu'Roderick Beauchemin s'pointe !

— Roderick Beauchemin, répéta la jeune femme, surprise d'entendre de nouveau ce nom, en effet, les élèves m'en ont parlé…

— C'te démon-là est venu à bout de deux ou trois institutrices. La dernière est partie à cause de lui…

— Ah oui? s'écria Gabrielle en cessant de mâcher le morceau de pomme qu'elle avait dans la bouche. Je n'ai pas eu connaissance de ce fait.

— Paraît même qu'un jour, y l'a tenue au bout d'son couteau...

L'enseignante devint livide.

— Allons don, mam' Blanchette, s'exclama l'épicier, croyez pas qu'y a un peu d'exagération dans tout ça?

— Oh que non, m'sieur Chastel! protesta celle-ci, j'tiens c't'histoire de mam' Fréchette, qui la tient de mam' Fortier.

Elle lâcha, après avoir jaugé Gabrielle des pieds à la tête :

— Y va vous avaler toute crue, ma pauvre p'tite demoiselle !

— Dites pas des choses de même, mam' Blanchette, gronda gentiment le commerçant, z'allez effrayer not' maîtresse d'école !

— Ben moé, j'vous aurai prévenue entécas. Bon, faut qu'j'rentre chez nous astheure, mon homme m'attend pour l'souper. Bonjour, m'sieur, mam' Chastel, pis j'vous souhaite ben du courage, ma p'tite demoiselle !

Et, ravie de l'effet qu'elle avait produit sur la nouvelle institutrice, la commère sortit du magasin avec un air d'importance.

Aussitôt, Gabrielle se tourna vers les propriétaires :

— Mais qui est donc ce Roderick Beauchemin, à la fin ? demanda-t-elle d'une voix blanche.

— C'est l'garçon au gros riche du village, répondit madame Chastel, y z'ont la plus grande propriété, pis les meilleures terres aussi. Y z'habitent à trois milles d'icitte, un château sur une colline… paraît qu'c'est un vrai palais là-d'dans !

— T'exagères, Sidonie, la rabroua son mari, mets-toé pas à faire du mémérage de même !

— Si, j'vous assure, mam'zelle Roy ! poursuivit la logeuse sur sa lancée. M'sieur Beauchemin, y vient pus au village pis y parle pus à personne depuis qu'sa femme est morte. C'était à la naissance de Roderick… pour dire qu'ça remonte à loin. Y avait marié une Indienne, une belle femme, mais c'est pas du monde comme nous aut', ça, c'est du monde sauvage. Roderick, y a tenu d'sa mère…

Gabrielle écoutait ce récit en ouvrant de grands yeux, à la fois intriguée et pleine d'appréhension.

— Bon, si t'as fini astheure, soupira le marchand en haussant les épaules, j'crois qu't'as des choses plus intéressantes à annoncer à mam'zelle Roy. Moé, j'm'en vas barrer l'magasin pis faire ma comptabilité. À tantôt, mesdames !

Joignant le geste à la parole, il retourna l'écriteau qui était suspendu à la porte d'entrée, l'inscription « FERMÉ » face à la rue, tira un gros verrou, puis disparut dans l'arrière-boutique.

— Oui, mam'zelle Roy, reprit madame Chastel, j'viens d'apprendre que vot' p'tite maison est prête. Z'allez pouvoir vous installer dimanche. Vous serez plus tranquille, pis avec tous ces galopins partout dans la maison...

— Mais je me plais beaucoup chez vous, madame, corrigea Gabrielle, et vos enfants ne me dérangent pas du tout ! D'ailleurs, si vous le souhaitez, je peux donner son bain à Émile pendant que vous préparez le souper.

— Voyons don, j'oserai jamais vous demander ça, mam'zelle Roy ! Pensez don, une demoiselle comme vous, une institutrice... ça s'est jamais vu icitte.

— Il faut bien qu'il y ait une première fois...

— Ben... puisque vous insistez, ça m'aidera ben, j'dois dire. Mais sentez-vous pas obligée, j'ai l'habitude, vous savez.

— Si, si, cela me fera très plaisir, et j'aime beaucoup Émile, déclara Gabrielle en enlevant le bébé à sa mère par-dessus le comptoir. Elle déposa un baiser sur son petit crâne tout chaud.

— Pis y'a une aut' chose, renchérit la patronne. J'sais qu'c'est pas encore l'temps des veillées d'hiver mais mon mari pis moé, on a des invités qui s'en viendront samedi à maison, après l'souper. Ça vous tente-t'y d'vous joindre à nous aut'? Ça vous permettra d'faire connaissance avec quequ' personnes du village et des environs. Pis y'aura d'la belle jeunesse aussi, p't-êt' ben même des amis d'enfance à vous.

— Avec grand plaisir, madame, je vous remercie beaucoup de votre invitation, répondit l'institutrice.

«Et puis, songea-t-elle en elle-même, cela me changera les idées, j'en ai bien besoin...»

Son inquiétude, à la perspective de l'arrivée prochaine de Roderick Beauchemin à l'école, ne faisait que croître.

* * *

Le reste de la semaine fila à toute allure. Les cours de Gabrielle se déroulèrent à merveille et Roderick Beauchemin ne montra pas le bout de son nez. L'institutrice s'était prise à espérer qu'il ne revînt jamais à l'école. Cependant, l'élève

Balthazar Blain avait été formel : il reviendrait. En attendant, elle décida de ne plus y penser, se réjouissant à l'idée de passer une agréable veillée chez les propriétaires.

Le samedi soir, une quinzaine de personnes envahit la cuisine des Chastel et prit place autour de la table principale et des petites tables rondes que la maîtresse de maison avait ajoutées. Il y avait là plusieurs couples de commerçants et d'agriculteurs, accompagnés de leurs enfants. Parmi ces derniers, Gabrielle reconnut en effet quelques jeunes gens avec lesquels elle avait jadis battu la campagne, lors de ses vacances chez l'oncle Excide.

À la clarté de la lampe d'époque 1900, la réunion se déroula dans une atmosphère de gaieté familiale. L'hôtesse servit du café, de la bière, et de la limonade pour les petits. Les hommes discutaient bruyamment entre eux ou jouaient aux cartes tout en tirant sur leur pipe. Les femmes échangeaient des potins, des recettes ou des conseils sur l'éducation des bébés, tiraient les tarots et lisaient les lignes de la main. Ainsi prédisaient-elles aux adolescentes présentes des voyages fabuleux et des rencontres avec des princes charmants aux cheveux blonds, bruns ou roux : des nouvelles que celles-ci, se prêtant au jeu ou se laissant emporter par leurs rêves, accueillaient avec des exclamations de surprise ravie ou de petits rires gênés. Quant aux enfants, ils s'amusaient dans leur coin ou couraient avec les petits Chastel autour des tables et dans toute la maison. Comme ils menaçaient de réveiller Émile, qui dormait depuis de longues heures à l'étage, Gabrielle finit par prendre les plus turbulents sur ses genoux et improvisa une histoire : en l'espace de quelques minutes, attirés par le ton mystérieux et les mimiques cocasses de la raconteuse, les autres chenapans faisaient cercle autour d'elle pour l'écouter.

Au cours de la soirée, plusieurs hommes, émoustillés par la présence de la maîtresse d'école, ne se privèrent pas de lui lancer des œillades explicites, auxquelles elle ne prêta aucune attention. En revanche, c'est tout juste si ses anciens compagnons de jeu, intimidés autant par son statut que par sa beauté et son élégance, osèrent lever les yeux sur elle. Gabrielle fut déçue de ses retrouvailles avec eux. Ils avaient pour la plupart arrêté l'école de bonne heure pour devenir cultivateurs comme leurs parents. L'air d'avoir grandi trop vite, ils étaient empruntés dans leur costume de sortie étriqué ou mal taillé et affichaient une physionomie inexpressive, des yeux bovins, de grosses mains rougeaudes. La jeune fille eut toutes les peines du monde à leur extorquer quelques bribes de conversation et des réponses à ses questions. Certains avaient même oublié leurs équipées communes d'antan.

Sentant que l'ambiance retombait à mesure que la fatigue gagnait les veilleux, un fermier se mit alors à jouer quelques airs de violon traditionnel : sa musique réveilla l'assemblée, provoquant chez les petits des dandinements comiques qui déclenchèrent l'hilarité générale. Puis, sur le coup de minuit, les invités prirent congé de leurs hôtes tout en se promettant de se revoir très bientôt.

En un tournemain, madame Chastel remit de l'ordre dans sa cuisine, tandis que son mari et ses enfants montaient se coucher; mais au moment où Gabrielle s'apprêtait à les imiter, cette dernière l'arrêta d'un geste :

— Hum, malgré tout l'respect que j'vous dois, mam'zelle Roy, dit-elle en baissant la tête, embarrassée, faut qu' j'vous dise... j'crois ben que vous avez froissé vos cavaliers à soir.

— Mes cavaliers ? s'exclama la jeune fille, interdite.

— Oui, les garçons qu'étaient icitte.

— Je ne comprends pas. Ai-je dit quelque chose qui a blessé vos invités ?

— Dit, non, mais fait, pour sûr, mam'zelle Roy ! Vous auriez dû vous asseoir à côté du garçon qui vous plaisait l'plus, pour lui marquer vot' préférence. Pis à la fin d'la veillée, vous auriez dû lui remettre son chapeau sans rien dire, pour lui montrer que vous l'autorisiez à revenir vous voir.

Gabrielle haussa les sourcils d'un air ahuri :

— Mais, madame Chastel, aucun de ces garçons ne me plaît ! Et puis ce sont des usages d'un autre temps ! En ville, nous sortons librement avec nos camarades sans que nous les considérions pour autant comme nos… cavaliers ou comme d'éventuels fiancés.

— En ville, p't-êt' que c'est d'même que ça s'passe, mam'zelle Roy, rétorqua la patronne d'un ton sérieux, mais pas icitte. Les garçons, y z'ont hâte de s'marier pis vous comprenez, une institutrice, c'est un beau parti. Y s'étaient tous mis sur leur trente-six pour venir vous voir et y z'attendaient un signe de vot' part. Jolie comme vous êtes, vous allez vite devenir populaire et les soupirants vont s'bousculer à vot' porte. Mais si vous levez l'nez sur eux aut', y vont tous s'passer l'mot pis vous aurez pus personne pour vous conduire aux veillées ou aux danses, c't'hiver. Pis l'hiver, c'est ben long icitte…

— Mais je ne suis pas venue ici pour me marier, madame Chastel! s'écria l'institutrice, de plus en plus surprise par la tournure que prenait la conversation.

— 'Coutez ben, mam'zelle Roy, z'êtes encore jeune astheure, mais la jeunesse pis les années, ça passe vite, vous savez. Faut pas trop faire la difficile pis penser à vous établir. D'aut' que moé vous diront la même affaire, pis m'sieur l'curé, certain. Plusieurs institutrices, dans la région, ont marié des bons gars, honnêtes pis travaillants. Vous voulez pas rester vieille fille tout d'même?

— Euh… non, enfin, je n'en sais rien : je dois avouer que je ne me suis jamais vraiment posé la question.

— Remarquez que c'sont pas d'mes affaires, mam'zelle Roy, mais venez pas vous plaindre si vous êtes toute seule c't'hiver !

— Oh, mais je ne me plaindrai pas, madame Chastel, répliqua la jeune femme, que cette discussion commençait à agacer, ne vous en faites pas pour moi ! Ce n'est pas l'ouvrage qui me manquera.

— Comme vous voudrez, soupira la logeuse, moé, j'disais ça pour vot' bien. Bon, faut aller vous coucher astheure car y'a messe demain. Bonne nuit, mam'zelle Roy !

— Bonne nuit, madame !

Gabrielle rejoignit sa chambre, assez perplexe. Décidément, qu'avaient-ils donc tous, dans ce village, à se mêler de lui faire la morale ou des mises en garde, de lui donner des conseils plus ou moins offensants et de diriger sa vie ? Et maintenant, voilà qu'on entendait lui imposer à tout prix des hommes ! Sous des airs enjoués, madame Chastel se révélait bien pessimiste à son sujet : à l'opposé de ses affirmations, n'avait-elle pas toute la vie devant soi pour songer à un possible prétendant – en tout cas, pas à un des empotés qu'elle avait côtoyés ce soir et qui devaient être légion dans le coin –, pour « s'établir » – quel affreux mot ! – et pour se marier – un état qui lui paraissait abstrait et surtout si lointain ? Dans l'immédiat, elle avait assez de son métier, de ses élèves, de ses distractions quand il s'en trouvait et de ses projets d'écriture, dans lesquels elle accusait déjà, selon elle, trop de retard. En un éclair, sa décision fut prise : elle ne participerait plus à aucune veillée, quitte à le regretter car elle trouvait les gens sympathiques et inspirants malgré leur conservatisme étroit, se tiendrait à l'écart des garçons afin de décourager leurs espérances, et passerait désormais ses fins de semaine chez son oncle, en compagnie de ses cousins et de ses cousines.

Des cavaliers ! pouffa-t-elle. Avait-elle entendu chose plus ridicule depuis son arrivée à Cardinal ? Ce n'était pas demain la veille qu'elle en rencontrerait, un cavalier !

Elle s'endormit presque en riant.

15

La voix de stentor du père Arnulphe Hébert emplissait la petite église de Cardinal, ricochait contre les murs, déchirait les tympans des fidèles. S'échappant par un vitrail brisé – dont le prêtre réclamait à cor et à cri la réparation depuis plusieurs semaines –, elle faisait s'envoler les oiseaux perchés sur les rares arbres, roulait au loin dans la plaine, et se perdait dans un désert d'herbes froissées par le vent :

— Entendez les paroles de saint Luc, pécheurs qui ne méritez pas le nom de frères : « Retirez-vous de moi, vous tous, ouvriers d'iniquité ! Il y aura des pleurs et des grincements de dents, quand vous verrez Abraham, Isaac et Jacob, et tous les prophètes, dans le royaume de Dieu, et que vous serez jetés dehors. » Et quel est ce dehors que Luc prédit aux mauvais chrétiens que vous êtes, sinon l'enfer, les ténèbres, le feu, une éternité de tourments ?

Ses petits yeux flamboyants comme la braise, un rictus mauvais déformant ses lèvres minces, le curé brandissait une énorme Bible au-dessus des paroissiens qui se tenaient au premier rang, le dos ployé, la tête baissée ou rentrée dans les épaules.

— Combien d'entre vous travaillent-ils encore le saint jour du dimanche ? Font-ils gras les jours défendus ? Sacrent-ils et profèrent-ils des paroles sales ? tonna-t-il en accompagnant chaque question de grands effets de manches. Oui, combien d'entre vous font-ils œuvre d'impiété en se révoltant contre Dieu ou en abandonnant la prière ? Font-ils preuve de malice en parlant contre leur prochain ? S'adonnent-ils à la luxure ou au libertinage ? Je vous le dis, si vous persistez dans vos outrages à l'égard de Notre Seigneur, dans vos mensonges et dans vos indignités, si vous ne vous repentez pas, si vous ne faites pas pénitence, vous perdrez à jamais votre âme et le ciel !

Semblant jouir de la frayeur et de la gêne qu'il provoquait dans l'assemblée, il monta d'un cran dans l'exposition des peines qui attendaient les infortunés villageois dans l'au-delà :

— La colère de Dieu s'abattra sur vous avec une violence sans pareille et même son Fils, les anges et les saints se détourneront de vos visages de damnés. N'avez-vous jamais songé que plus vous commettez de péchés, plus vous souffrirez en enfer ? Et si vous saviez, malheureux, ce qu'est l'enfer des chrétiens ! Un lieu de torture abominable, indescriptible, inimaginable, où ils sont condamnés à être jetés vivants dans des puits de flammes, précipités dans des rivières de soufre, noyés dans des lacs de poix bouillante ! Où ils sont embrochés par les démons, dévorés par les esprits infernaux, broyés par les mâchoires de Lucifer ! Et cela, encore et encore, à jamais, éternellement…

À cette terrible perspective et à l'évocation du diable, plusieurs hommes poussèrent des gémissements de bêtes blessées, qu'ils étouffèrent entre leurs mains. Des femmes se signaient sans cesse, balbutiaient des prières, les yeux levés vers l'imposant crucifix qui était accroché au mur, derrière l'autel, ou sanglotaient, le visage enfoui dans leur mouchoir en dentelles noir. L'une d'elles s'évanouit au beau milieu du public. Terrifiés, des enfants se bouchaient les oreilles en se blottissant contre leurs parents. Quelques-uns d'entre eux se mirent à pleurer, des bébés, à hurler. Il fallut évacuer un bon quart de l'assistance pour permettre à l'abbé de poursuivre son prêche.

— Oui, sortez de la maison du Père, cria-t-il en pointant du doigt les pratiquants qui quittaient les lieux dans la confusion générale, et n'y revenez que pour faire acte de contrition !

À la fois impressionnée par la force persuasive de ce discours et sceptique quant à la véracité de son contenu, Gabrielle, qui se tenait assise au dernier rang de l'église, toute de noir vêtue, en profita pour s'éclipser.

« Je n'ai jamais entendu pareil sermon, se dit-elle en frissonnant de la tête aux pieds. En tout cas, si c'est pour en entendre de ce genre tous les dimanches, je ne mettrai plus les pieds que de loin en loin à la messe. Comment les gens peuvent-ils supporter cela depuis tant d'années ? Ce curé est un véritable fanatique ! »

Bien qu'étant respectueuse du culte, elle n'admettait pas qu'un prêtre use de sa fonction et de son prestige pour entretenir la foi de ses ouailles en les terrorisant et pour leur faire observer les commandements de l'Église en les maintenant dans la sujétion.

Cependant, elle s'abstint de tout commentaire lorsqu'elle rejoignit les Cardinalais qui avaient fait cercle à l'extérieur. Parmi eux, les Chastel, pâles et consternés, et leurs enfants tentaient en vain de calmer Émile, dont la mignonne frimousse était zébrée de grosses larmes. L'institutrice attendit que les gens eussent un peu repris leurs esprits pour les saluer et serra les mains de plusieurs parents d'élèves en prononçant quelques mots d'encouragement et de félicitations au sujet de leur progéniture.

Pendant ce temps, une nouvelle tempête d'imprécations avait éclaté dans le sanctuaire :

— Au milieu de vos supplices, le regret et le remords vous assailliront, car l'enfer, c'est d'abord la privation éternelle de Dieu, de sa lumière, de son amour, de ses bienfaits. Vous méditerez sur votre perte et reconnaîtrez alors que votre malheur vient de vous et de vous seuls… Mais malgré la gravité de vos péchés, je dis qu'il n'est pas encore trop tard pour vous racheter. Car Dieu, dans sa grande miséricorde, a envoyé sur terre ses serviteurs les prêtres pour que vous vous tourniez vers les sacrements et tous les secours qu'offre l'Église. Aussi je vous en conjure, gens de peu de foi, écoutez la parole de Jésus qui s'exprime par ma bouche! Changez de vie tant qu'il en est temps, cessez vos offenses, quittez les abîmes de la perdition! Empruntez dès maintenant le chemin de la vertu et de la vraie religion, rentrez dans le giron de l'Église, expiez vos fautes! Sinon, vous pourrez dire adieu au ciel! Adieu à une éternité de délices et de félicité! Adieu au Royaume de Dieu, qui devait être pour toujours votre résidence! Adieu à ses bienheureux habitants! La face du Seigneur vous demeurera à jamais cachée et vos yeux devenus aveugles ne s'ouvriront plus que sur un océan infini de larmes, de souffrances et de châtiments...

Au-dehors, les campagnards échangeaient des avis partagés :

— J'comprends pas, moé, se plaignait une femme, on dit qu'les plus grands saints pèchent sept fois par jour, alors pourquoi y sont pas punis, eux aut', et qu'c'est nous qu'irons en enfer?

— Vous en faites pas, mam' Chapelain, la rassura un de ses voisins, bonne comme vous êtes, vous irez droit au paradis. J'gage que vous péchez pas même trois fois par jour.

— Moé, j'en ai assez entendu pour aujourd'hui, décréta un paysan, j'rentre à maison, pis j'ai une vache à soigner.

— Mais, père Lardon, protesta la dame qui avait perdu connaissance dans le lieu de culte et se remettait tant bien que mal de ses émotions, z'avez pas entendu c'qu'a dit m'sieur l'curé ? Faut pas travailler l'dimanche…

— Pis mes vaches, elles, vous croyez qu'elles savent que c'est dimanche ? Et c'est l'curé, p't-êt', qui va s'en venir soigner ma Grosse ?

— Pis si on retourne pas dans l'église pour communier, on ira en enfer… renchérit-elle.

— Croyez pas qu'à hurler d'même, c'est pas plutôt l'curé qui va s'y retrouver, en enfer ? Et ben plus tôt qu'y pense ! Ah bah, qu'il y rôtisse, c'est tout l'bien que j'lui souhaite !

— Vous blasphémez, père Lardon ! Ça aussi, ça vous mènera en enfer. Not' curé, y sait quand même mieux les choses qu'nous aut', non ?

— Ben, mère Bourré, si ça vous fait plaisir d'tomber encore dans les pommes, c'est vot' affaire, pas la mienne !

— Entécas, nous aut', on peut pas revenir dans l'église, les interrompit monsieur Chastel. Émile, y va s'remettre à brailler pis les enfants, y sont tout *shakés* dans l'moment. Venez-vous-en plutôt boire un p'tit coup au magasin, ça va vous remonter !

— Pas avant d'avoir communié ! s'écria un autre fermier. Comme dit mam' Bourré, ça va nous porter malheur. Pis l'curé, y dit toujours qu'la boisson, c'est le vice des démons.

À la fin, les paroissiens se séparèrent entre ceux qui choisirent de suivre le reste de l'office et ceux qui ne purent résister aux sirènes d'un bon verre de bière ou d'alcool.

— Quant à moi, je vous rejoins tout à l'heure, déclara Gabrielle aux propriétaires, j'ai une commission à faire.

Elle se rendit au presbytère et déposa dans la boîte aux lettres le message qu'elle avait rédigé avant la messe à l'intention du père Hébert. En termes polis mais fermes, elle lui expliquait que, devant emménager le jour même dans son nouveau logement, elle n'aurait pas le temps de lui apporter sa leçon de catéchisme, mais qu'elle se débrouillerait par elle-même et qu'elle ne manquerait pas de lui rendre visite dans le futur si elle avait besoin de ses éclaircissements. Sans doute serait-il furieux, mais elle désirait par-dessus tout gagner du temps en ayant le moins possible affaire à lui.

* * *

En fait de maisonnette, l'habitation de Gabrielle se révéla une cabane en planches recouverte d'un toit de tôle rouge, qui se divisait en deux pièces : une cuisine et une chambre. Isolée au début du village sur un morceau de prairie, entourée par la plaine, elle jouxtait la ferme des Lançon, un couple de Français dont les enfants fréquentaient l'école Saint-Louis. Elle était équipée d'un mobilier sommaire et usagé – une table, trois chaises, une armoirette, un petit fourneau, un lit, un chiffonnier, un bureau –, et dénuée d'eau courante : son occupante devrait aller chaque jour remplir ses seaux à la pompe qui alimentait les dépendances de ses voisins. Outre quelques ustensiles de cuisine et de ménage, un nécessaire de toilette et une lampe à pétrole, madame Chastel avait fourni la literie et cousu des rideaux pour les deux uniques fenêtres.

Vers le milieu de l'après-midi, les petits Chastel transportèrent les bagages de leur institutrice de sa chambre au cabanon, aidés de Jules, le plus jeune des fils Lançon. Âgé de cinq ans, c'était un enfant sage et timide qui, derrière ses lunettes et sa bouille naïve, ronde et rose, cachait une vive intelligence.

— Moi, plus tard, je veux être maître d'école ! avait-il confié à Gabrielle le jour de la rentrée, en rougissant, ce qui avait rempli la demoiselle de fierté.

En découvrant le dénuement et l'inconfort de son logis, la nouvelle locataire se sentit gagnée par la déprime mais décida de faire contre mauvaise fortune bon cœur :

« Certes, ce n'est pas le grand luxe, mais au moins, ce sera un vrai chez-soi », pensa-t-elle, regrettant déjà le nid douillet que constituait la maison des Chastel.

Pendant que les enfants s'amusaient à se lancer sur le lit, elle défit ses valises et disposa son matériel scolaire sur le bureau, qu'elle poussa contre la fenêtre de sa chambre. Seuls s'offraient à sa vue l'horizon illimité des plaines et quelques petits arbres, qu'un vent léger dépouillait feuille à feuille.

Après avoir remercié et renvoyé les petits chez eux, elle s'assit à sa table de travail et se plongea dans la préparation de ses leçons pour le lendemain. Lorsqu'elle releva la tête, le soleil, dans le lointain, n'était plus qu'un trait rouge, que la nuit se hâta d'effacer. Un silence angoissant tomba sur la plaine qui cernait la cabane. Le cœur lourd, refoulant péniblement ses larmes, Gabrielle grignota en tête-à-tête avec une chaise vide les provisions que l'épicier lui avait offertes en dépannage. Comme les Chastel lui manquaient ! Les bavardages et les rires du couple, dans la tiédeur rassurante de la cuisine, les cris joyeux des enfants, les risettes et les pleurs d'Émile, et les mille petits bruits qui animaient la maison.

La soirée lui parut interminable. Afin de tuer le temps, elle écrivit à sa mère, ainsi qu'à sa cousine Léa pour lui annoncer sa visite prochaine à Somerset, et griffonna quelques lignes dans son journal intime. Puis elle ouvrit son cahier rouge, qui l'accompagnait partout, pour tenter de donner une suite aux aventures romanesques de sa famille maternelle : elle avait l'impression d'avoir abandonné son occupation favorite et ses personnages depuis une éternité. Mais l'inspiration ne vint pas et bien que le calme environnant lui offrît l'occasion idéale pour écrire, la page demeura désespérément blanche. Elle se contenta d'observer le vol fébrile d'un papillon de nuit qui se cognait contre le corps de sa lampe. Celui-ci lui parut être aussi prisonnier de la lumière qu'elle l'était de l'ombre qui s'épaississait autour de son logis. Elle se leva alors en soupirant, ouvrit la fenêtre pour libérer le minuscule insecte dans la nuit immense, et se mit au lit. Au loin, un coyote poussait des glapissements à glacer le sang. Peinant à trouver le sommeil, l'enseignante se tourna et se retourna sur son matelas mal rembourré en ressassant des pensées plus ou moins agréables, puis finit par s'assoupir.

Au milieu de la nuit, elle fut réveillée en sursaut par un étrange bruit métallique. Le vent s'était levé et secouait les tôles avec violence. Il parvint à en soulever quelques-unes, se glissa en sifflant par les interstices du toit et envahit peu à peu la chambre de Gabrielle de son souffle glacial. Gelée, la jeune femme se pelotonna sous l'épais édredon de plume que madame Chastel lui avait donné, mais, incapable de se rendormir, passa le reste de la nuit à écouter le claquement régulier et incessant des plaques disjointes au-dessus de sa tête.

* * *

Vers six heures trente, elle se leva, rompue de fatigue, s'habilla et sortit avec deux seaux dans le petit matin frisquet. Le vent était tombé: après avoir longtemps tourné autour de la cabane, comme s'il cherchait à y pénétrer par d'autres fissures, il s'était enfin éloigné. Le ciel était encore teinté des premières couleurs de l'aube. Mêlés à la brume, les rayons d'un soleil déjà lumineux tissaient sur la prairie un voile de dentelle étincelant de gouttes de rosée. En respirant la vivifiante odeur de terre et d'herbe mouillée qui s'en exhalait, Gabrielle recouvra son énergie. Elle remonta le sentier qui conduisait à la pompe en traversant les champs et remplit ses chaudières d'eau glacée. Mais elles étaient si lourdes qu'au retour elle dut s'arrêter pour les poser, en s'éclaboussant allègrement, et pour souffler sur ses doigts gourds.

Alors qu'elle s'apprêtait à repartir, elle aperçut tout à coup, à quelques dizaines de mètres d'elle, la silhouette d'un jeune homme qui se découpait dans la clarté rose et or du jour. Celui-ci fit entrer un cheval blanc gris dans un champ entouré d'une barrière, puis lui ôta sa longe et lui donna une poignée de fourrage tout en caressant son chanfrein. C'était un garçon d'une vingtaine d'années, grand et élancé, vêtu d'une chemise blanche dont les manches étaient retroussées jusqu'aux coudes, d'un gilet et d'un pantalon noirs. À son allure distinguée et à ses mains effilées, à peine hâlées, Gabrielle sut tout de suite qu'il ne s'agissait ni d'un autochtone ni d'un paysan. En avisant à son tour la jeune fille, il la salua d'un signe de tête et s'approcha de l'enclos, le cheval le suivant pas à pas. Ses cheveux et ses yeux noirs s'harmonisaient avec son visage mince, aux traits dessinés avec fermeté. Une jolie fossette creusait son menton. Néanmoins, le sourire qu'il adressa à Gabrielle, en révélant des dents d'une blancheur éclatante, ne put chasser l'ombre de tristesse qui voilait son regard.

— Bonjour, mademoiselle, dit-il, je m'appelle Jean… Jean Frappier. Et lui, c'est Brouillard, ajouta-t-il en désignant le cheval. Vous, vous devez être mademoiselle Roy, l'institutrice…

Il avait une voix douce et mélodieuse, à laquelle son accent pointu ajoutait une touche de charme.

— C'est exact, répondit la jeune fille, gênée de se retrouver face à un inconnu sans être débarbouillée ni coiffée. Vous venez de la France, monsieur? questionna-t-elle avec une pointe de curiosité mêlée d'admiration.

— Oui, je suis d'origine normande.

— Et… puis-je vous demander ce qui vous a amené par chez nous?

— Eh bien, j'étais employé de banque à Caen, dans le département du Calvados. Et puis un jour, j'ai eu envie de voir du pays. J'ai travaillé pendant deux ans à la Wells & Rothenberg Bank, à Montréal, mais j'ai eu du mal à me faire à cette ville. En prononçant ces derniers mots, il avait baissé la tête, ses pupilles devenues encore plus sombres. Mais il la releva aussitôt et poursuivit d'un ton résolu: l'été dernier, je suis parti en vacances dans l'Ouest, j'y ai rencontré Joseph Lançon, qui m'a proposé de m'apprendre le métier de fermier, et voilà, je ne suis plus jamais reparti.

— Et vous vous plaisez bien ici?

— Oh, oui, beaucoup, je n'ai jamais rien vu d'aussi beau que ces plaines! s'exclama-t-il en contemplant le paysage d'un air rêveur. J'adore les grands espaces et travailler au contact de la nature. Au moins, je m'y sens libre, j'y respire, et puis Joe Lançon est un bon patron.

— Tant mieux, monsieur Frappier, alors je vous souhaite bonne chance chez nous. À présent, je vais devoir vous laisser : il ne me reste qu'une heure pour me préparer avant de me rendre à l'école.

— Permettez-moi quand même de porter vos seaux jusqu'à votre habitation, proposa-t-il, ils sont bien trop lourds pour vous.

— Mais je ne veux pas abuser de votre temps, protesta Gabrielle, je peux me débrouiller toute seule.

— Le travail attendra bien quelques minutes et puis cela me fait plaisir de vous rendre service. À l'avenir, si je ne suis pas dans les parages, faites deux fois l'aller et retour au lieu de vous encombrer de deux récipients en même temps.

Il asséna une claque sur le flanc de Brouillard, qui partit brouter au milieu du champ, enjamba la barrière et empoigna les anses des contenants.

Gabrielle reprit sa route en silence, les yeux rivés sur le chemin, tout intimidée de marcher aux côtés de ce grand jeune homme qui sentait bon le savon parfumé.

— Pardonnez mon indiscrétion, mademoiselle, reprit ce dernier au bout d'un moment, mais je vois que vous êtes en noir. Je présume que vous venez de perdre un membre de votre famille. Permettez-moi de vous offrir mes plus sincères condoléances.

— Oh non, s'écria l'enseignante en pouffant de rire, c'est le curé qui m'oblige à m'habiller comme cela !

— L'abbé Hébert ? Cela ne me surprend pas ! En tout cas, je ne suis pas prêt de mettre le pied dans son église. J'étais à peine arrivé au village qu'il me traitait de maudit Français parce que j'avais manqué la première messe. Il est même venu me trouver chez les Lançon pour me vouer à tous les diables de l'enfer. Il hurlait tellement qu'on devait l'entendre à des kilomètres et qu'il a certainement fait fuir les démons en question aux quatre coins de la province !

Les deux jeunes gens partirent d'un grand éclat de rire. La fossette au menton du garçon se creusa davantage, accentuant la virilité de ses traits, et l'ombre qui obscurcissait son regard disparut l'espace d'un instant avant de renaître.

— Maintenant, je vais de temps en temps à la messe à Notre-Dame-de-Lourdes, expliqua-t-il, le curé y est plus respectueux des paroissiens.

Bien qu'elle fût encore un peu impressionnée par son interlocuteur, Gabrielle commençait à se sentir plus à l'aise avec lui. Une fois parvenu à la cabane, Jean Frappier s'arrêta par politesse devant la porte d'entrée et se débarrassa de son fardeau.

— Hum, je ne comprends pas que les gens ne vous aient pas trouvé un meilleur logement, fit-il remarquer en évaluant d'un coup d'œil l'extérieur de la maisonnette.

— Oh, je vais m'y habituer! soupira l'institutrice.

— Vous n'avez pas eu trop froid la nuit dernière avec tout ce vent? s'enquit-il en indiquant les tôles éparpillées sur le toit.

— Oh si, et je n'ai guère dormi!

— C'est bien regrettable. Si vous le permettez, je vais en toucher deux mots à Joe Lançon et je m'arrangerai pour repasser ici dans la journée. Je comblerai les ouvertures et replacerai ces tôles. Ainsi, tout sera réparé lorsque vous rentrerez de l'école et vous ne devriez plus avoir froid la nuit prochaine.

— Je vous remercie beaucoup de votre aide, monsieur, c'est très gentil de votre part.

— Appelez-moi Jean, ce sera plus simple. Alors bonne journée, mademoiselle !

— Eh bien… je crois qu'il serait aussi plus juste que vous m'appeliez Gabrielle.

— D'accord. Alors, au plaisir de vous revoir, Gabrielle, et si vous avez besoin d'autre chose, vous savez désormais où me trouver.

La jeune femme le regarda s'éloigner à grandes enjambées sur le chemin. Il se retourna pour lui envoyer une dernière fois la main mais elle affecta d'ignorer son salut. De crainte qu'il n'eût remarqué qu'elle le suivait des yeux, elle s'empressa de rentrer dans son logis. Elle était un peu troublée par cette rencontre. Quelle différence il y avait entre ce garçon bien élevé, prévenant, au langage soigné, et les jeunes gens frustres qu'elle avait croisés jusqu'à présent dans le village ! Surtout, elle ne pouvait s'empêcher de le trouver fort séduisant. Mais pourquoi y avait-il ce nuage de tristesse dans son regard ? Peut-être avait-il reçu une mauvaise nouvelle de France ou souffrait-il de la nostalgie de son pays natal malgré son attachement au Manitoba. Peut-être avait-il vécu par le passé un événement douloureux, quelque chagrin… un chagrin d'amour, par exemple. Un garçon aussi beau avait déjà bien dû connaître une jeune fille, peut-être à Montréal, une jeune fille qui l'avait quitté pour une raison quelconque ou qu'il regrettait d'avoir abandonnée pour s'établir ici. Mais peut-être un incident survenu à la ferme ce matin même l'avait-il tout bonnement contrarié.

Quoi qu'il en fût, la vie de Jean Frappier ne la regardait pas, se raisonna Gabrielle, partagée entre le désir d'en apprendre plus long sur lui et une indifférence à son égard qui l'étonna elle-même. Ce Français était agréable et sympathique, et sa conversation amicale suffirait à la distraire de temps à autre de l'ennui qu'elle éprouvait dans sa cabane. Le reste lui importait peu. Ne s'était-elle pas promis après la veillée chez les Chastel que son travail de maîtresse d'école primerait sur toute autre considération ?

16

Gabrielle et Jean Frappier se revirent dès le lendemain et les jours suivants. Chaque matin, après avoir mené Brouillard au pré, le jeune homme, toujours aimable et empressé, prit l'habitude de porter les seaux de l'institutrice jusqu'à sa cabane. Tous deux faisaient un brin de causette, échangeaient des nouvelles de leurs occupations respectives, puis se quittaient après s'être souhaité une bonne journée. À plusieurs reprises aussi, le nouveau fermier accompagna sa voisine au magasin général, après la classe, pour l'aider à faire ses courses. Il lui offrit même une pointe de la succulente tarte au sucre que madame Chastel confectionnait pour ses clients. Très vite, il se glissa dans le quotidien de Gabrielle jusqu'à se rendre indispensable, lui rendant de menus services, réparant les dommages causés à son domicile par les intempéries, apportant jusqu'à l'école les objets dont elle avait besoin pour illustrer ses cours.

Aussi, lorsqu'il lui proposa de partir en promenade un après-midi où ils étaient libres, c'est tout naturellement qu'elle accepta. Les jeunes gens coupèrent à travers champs, s'engagèrent au hasard sur des petits chemins de terre et se perdirent en riant dans les routes de sections qui formaient une sorte de labyrinthe dans la plaine. Ils finirent par atteindre un boisé qui semblait avoir été mystérieusement protégé des atteintes du vent : de nombreux arbres avaient conservé une partie de leur feuillage et déployaient de vastes éventails dorés. Enveloppés dans l'ombre fraîche des sapins, trouée çà et là par les flèches du soleil, ils allaient d'un même pas, leurs bottes froissant des feuilles éclaboussées de lumière. Un silence un peu gêné s'était établi entre eux : seuls le trille d'un oiseau, le craquement d'une branche ou la course d'un animal à travers la végétation troublaient par intervalles le calme ambiant.

Mais l'intimité de ce petit bois se révélant propice au rapprochement, ils ne tardèrent pas à s'abandonner aux confidences sur leur passé respectif. Gabrielle évoqua avec vivacité sa famille, son enfance à Saint-Boniface et à Somerset, ses études, le décès de son père, ainsi que ses débuts dans l'enseignement. Charmé par ses dons de conteuse, Jean s'épancha à son tour sur ses souvenirs. Fils d'un bijoutier de Caen et aîné d'une fratrie de trois enfants, il avait lui-même grandi entre la ville et la maison de campagne de ses grands-parents. Après avoir effectué des études commerciales, il avait travaillé pendant quelque temps chez son père, avant d'entreprendre sa carrière dans le domaine bancaire : une carrière vite interrompue par son désir irrépressible de voyages et d'aventures.

Gabrielle ne se lassait pas de l'entendre décrire la France, ses vieilles pierres, les châteaux et les fermes enchâssées dans la verdoyante prairie normande aux pommiers fleuris. Toutefois, dès qu'elle entreprit de l'interroger sur son expérience montréalaise, il se ferma comme une huître et détourna la conversation, son regard redevenu opaque. Comprenant qu'elle touchait là à un sujet pénible ou embarrassant, elle n'insista donc pas, de peur de paraître indiscrète et de le blesser. Cela, même si au fond d'elle-même, elle brûlait d'envie de savoir quel fantôme il tentait d'oublier ou de fuir.

Tout en poursuivant leur exploration des lieux, les marcheurs devisèrent de choses et d'autres, partagèrent leurs impressions sur leur environnement, se découvrirent des affinités : le goût de la solitude et de l'introspection, qui s'équilibrait avec l'attrait de l'inconnu et une vive curiosité pour les mystères de la nature et les us et coutumes des habitants de leur région. L'enseignante était non seulement ravie de s'être fait un ami mais aussi d'avoir trouvé un interlocuteur à sa hauteur, qui s'exprimait dans un français fluide et recherché. Elle était également flattée d'avoir suscité l'intérêt d'un garçon de cinq ans son aîné, de surcroît si attirant. Lorsqu'ils revinrent à Cardinal à la nuit tombante, elle le gratifia sur le seuil de sa cabane d'une chaude poignée de main et d'un sourire plein de confiance. S'aperçut-elle, dans l'ombre, que les yeux noirs du jeune homme brillaient d'un nouvel éclat, qui avait presque dissipé le reflet sombre qui y dansait d'ordinaire ? Et qu'il la couvait tendrement du regard ?

Ils renouvelèrent plusieurs fois leurs sorties dans la plaine, surtout le soir, à l'heure où le soleil se couchait après s'être plongé dans un bain de nuages aux couleurs éclatantes. Cependant, la nouvelle de ces promenades ayant déjà fait le tour du village et la rumeur de « fréquentations » entre la maîtresse d'école et « le Français » commençant à aller bon train, Gabrielle décida de partir la fin de semaine chez son oncle Excide. Cette visite à sa parenté lui fournissait par la même occasion un excellent prétexte pour échapper à la prochaine messe du père Arnulphe Hébert et aux prétentions de ce dernier sur la préparation de ses leçons de catéchisme.

* * *

Le samedi matin, elle prit un petit train qui la conduisit en une quinzaine de minutes à la gare de Somerset. Son cousin Cléophas l'y attendait avec l'automobile familiale. La vieille Ford bringuebalante emprunta des chemins cahoteux à travers la plaine et, au bout de deux milles, tourna dans une longue allée bordée de pâturages et d'un verger, qui menait en droite ligne jusqu'à la ferme. Bâtie au cœur d'un petit bois de trembles, c'était une grande maison blanche d'un étage, devant laquelle s'élevait un puits entouré d'une margelle. Un poulailler, une étable, une écurie, une grange et des silos en constituaient les dépendances. Au-delà de la propriété s'étendaient les six cent quarante acres de terre noire cultivés par Excide et son fils.

L'arrivée du véhicule pétaradant dans la cour mit en déroute une ribambelle de chats, pendant qu'un chien tirait sur sa longue chaîne en aboyant à perdre haleine. Au moment où Gabrielle descendait de voiture, l'oncle Excide tourna le coin de sa demeure, une fourche sur l'épaule et un large sourire aux lèvres.

— Ah, v'là not' maîtresse d'école! s'exclama-t-il en posant son outil contre la façade et en écrasant sa nièce contre son torse puissant. Laisse-moi te regarder, ma Gabrielle... Hé, que t'as changé depuis les obsèques de ce pauvre Léon! T'es aussi belle que ta mère astheure!

La jeune fille émit un petit rire gêné.

— Quel plaisir de vous revoir, oncle Excide, répondit-elle, et de se retrouver ici!

Elle ferma les yeux pour mieux humer les odeurs familières de la ferme. La porte d'entrée s'ouvrit et Léa s'avança à son tour en nouant à la hâte un tablier blanc sur sa robe de travail grise, ses cadets Germain et Rose-Éliane dans les jambes. C'était une jolie blonde de vingt et un ans, qui ressemblait à Gabrielle, mais elle était plus trapue et plus charpentée qu'elle. Les deux cousines se serrèrent dans les bras l'une de l'autre à s'étouffer, puis l'institutrice distribua des baisers aux enfants, qui étaient âgés de douze et treize ans.

— Pis? reprit Excide en allumant une pipe, l'œil narquois, paraît que t'as un amoureux là-bas...

— Oooh! s'écrièrent Germain et Rose-Éliane, moqueurs.

Et ils formèrent une ronde autour de leur tante en scandant: «Elle a un amoureux! Elle a un amoureux!»

— Oh, je vois que les nouvelles vont vite! s'étonna Gabrielle, qui rougit légèrement. Non, rectifia-t-elle aussitôt, ce n'est pas mon amoureux, simplement un ami.

Le fermier hocha la tête, sceptique:

— Ah! ça commence comme ça, pis ça s'poursuit par des noces, pis ça finit par... ÇA! cria-t-il en enlevant brusquement dans les airs ses deux derniers enfants, qui battirent des pieds avec des rires et des cris stridents. Bon, ça va faire, poursuivit-il en les reposant à terre, j'ai encore plein d'ouvrage qui m'attend. Ces maudites machines, faut sans cesse les graisser, sinon on a des mauvaises surprises au printemps. Cléophas, monte les bagages d'Gabrielle dans la chambre d'Éliane pis rejoins-moé dans la grange!

— Comment va cousine Éliane, justement? Et Philippe? s'enquit Gabrielle des aînés qui avaient quitté la ferme depuis plusieurs années déjà.

— Ben, ça va ben. Éliane est toujours à Camperville, dans l'nord. Elle a été chanceuse de marier un bon gars, tsé, Laurent Jubinville, qui travaille dans l'chemin d'fer. Elle attend son deuxième. Pis Philippe, y est à Chicago dans l'moment, y a monté son entreprise. Y écrit pas souvent. Les jeunes, c'est ça quand y quittent pour la ville. Mais y a eu ben raison d'pas faire comme nous aut', l'métier est rendu trop dur astheure, et les engins, y marchent que quand ça leur chante. C'est comme ça. Allez, à tantôt, tout l'monde !

— Entre prendre un café, Gaby, proposa Léa. On va avoir un boutte de temps pour jaser avant que je prépare le dîner. Et, ajouta-t-elle en menaçant son frère et sa sœur d'un index sévère, ne venez pas nous achaler, vous aut', restez à jouer dehors !

Gabrielle pénétra dans une pièce spacieuse, qui faisait office de salle à manger et de salon. Tout y respirait l'ordre et la propreté : depuis la mort de sa mère Luzina, de la tuberculose, il y avait sept ans, Léa mettait un point d'honneur à maintenir les lieux impeccables. À quelques-uns des meubles bruts que le grand-père Élie Landry avait jadis fabriqués – des bancs, des coffres, un buffet – s'était joint un mobilier rustique de bon goût, d'inspiration Art déco : une longue table, des chaises, un canapé, des fauteuils, une causeuse, un guéridon, un phonographe à pavillon, et même une bibliothèque et un piano. Des objets anciens – lampes, bougeoirs, pendules, vases, statuettes – témoignaient du raffinement de la jeune maîtresse de maison, tandis qu'un poste de radio à galène révélait l'aisance du propriétaire. Aux murs, entre des tableaux, des photographies de famille et des images saintes, étaient suspendus plusieurs outils de l'ancêtre, dont on ne se servait plus aujourd'hui et qu'on aurait été bien en peine de nommer. Au-dessus de la cheminée trônait un grand portrait en médaillon de Luzina : l'allure distinguée, elle avait un teint de porcelaine, des traits fins et délicats, en plus d'un sourire gracieux, dont avait hérité sa fille. Son regard doux et bienveillant semblait encore veiller sur les siens.

À sa disparition, l'entière responsabilité de la maisonnée et du soin des jeunes enfants était retombée sur les épaules de Léa, qui avait alors seulement quatorze ans. Mais l'adolescente avait fait face avec courage à son infortune et à ses obligations en mémoire de sa mère. Aujourd'hui, elle était capable d'abattre une somme de travail considérable : levée à l'aube, couchée après tout le monde, elle préparait les repas pour cinq personnes, parfois davantage lorsque son père engageait des saisonniers, faisait les lits, le ménage, la vaisselle, la lessive, le repassage, le raccommodage, les courses, s'occupait des enfants et supervisait leurs devoirs ; en plus de nourrir les bêtes, de cultiver des légumes et d'aider aux champs l'été. Elle trouvait même encore du temps pour parfaire son instruction par la lecture et pour pratiquer le piano. Gabrielle, qui aurait été incapable d'effectuer le tiers de cette besogne, lui vouait une admiration sans réserve. Les deux jeunes filles, qui avaient passé presque toutes leurs vacances ensemble depuis leur enfance, étaient d'ailleurs de grandes amies et se considéraient comme des sœurs.

« Comment est-ce qu'elles s'aiment, celles-là ! » s'extasiait Luzina de son vivant, lorsqu'elle les voyait se promener bras dessus bras dessous en papotant et en riant.

Gabrielle et Léa s'installèrent dans la cuisine : vaste et claire, elle disposait d'un confort dernier cri. Une pompe à main y amenait même l'eau à partir d'un puits creusé sous la cuisine d'été. Léa posa devant l'invitée un élégant service à café bleu à bord festonné or et parsemé de petites roses, ainsi qu'une assiettée de biscuits qui sortaient du four.

— Pis c'est vrai, ça, que t'as un amoureux ? commença-t-elle.

— Non, rétorqua Gabrielle, comme je l'ai dit à l'oncle Excide, c'est un ami : un ancien banquier français, qui fait ses débuts dans l'agriculture chez un fermier de Cardinal. Il est très gentil, intéressant, je reconnais qu'il a aussi beaucoup de charme, mais bah ! tu me connais… Je ne suis pas pressée, j'ai d'autres projets, et puis d'ailleurs, il n'y a rien entre nous. Et toi ?

— Oui, moi, j'en ai un, déclara l'intéressée avec fierté, les joues roses de bonheur, il s'appelle Oscar, il a vingt-trois ans. Il reste sur la ferme de ses parents, à quelques milles d'ici. On s'est rencontrés l'hiver dernier à une veillée chez des amis communs. Il n'a pas une grosse instruction mais c'est un travaillant. Père l'apprécie et trouve que c'est un bon choix. Mais ce n'est pas comme toi : entre nous, c'est du sérieux, nous nous aimons. On se mariera sans doute d'ici un an ou deux et on aura des enfants.

— Ah ? fit Gabrielle, qui paraissait être à mille lieues de ce genre de projets, eh bien… tant mieux pour toi !

Et, ne sachant trop quoi rajouter, elle changea de sujet de conversation tout en grignotant ses petits gâteaux.

* * *

La journée fut à la fois délicieuse, à l'image des hôtes de la ferme, et bien remplie. Il faisait beau et frais. Après le dîner, qui fut servi dans la cuisine, Gabrielle partit à travers les champs et les petits chemins de terre environnants. Elle retrouvait toujours avec émotion et amusement le théâtre des escapades qu'elle effectuait autrefois en compagnie de ses cousins et de leurs petits voisins. Chaque été, tous s'en allaient glaner, taquiner des grillons avec une paille dans les hautes herbes pour les faire sortir de leur trou, traquer des nids dans les broussailles ou dans les arbres, ou bien ramasser des cailloux de différentes couleurs dans les ruisseaux. Lorsqu'il avait plu et que les voitures à cheval avaient transformé les ornières en autant de petits canaux ruisselants d'eau boueuse, l'un de leurs passe-temps favoris consistait aussi à repérer l'espace où mettre le pas en évitant de maculer leurs bottines. Un exercice périlleux, qui s'achevait le plus souvent par une perte d'équilibre, suivie d'une glissade et d'une chute spectaculaire dans la glaise. En se remémorant ces scènes désopilantes, Gabrielle ne put s'empêcher de sourire et même de rire toute seule dans le vaste silence de la plaine. Après de telles sottises, comment trouverait-elle encore le courage de punir ses élèves lorsqu'ils en commettraient de semblables ?

De retour à la ferme, elle aida sa cousine aux travaux ménagers – un domaine dans lequel elle n'excellait guère –, puis à faire le lit dans la chambre qui lui était destinée. Leur corvée terminée, les deux filles s'assirent sur la courtepointe pour se reposer quelques instants.

— T'as bien une histoire à me conter en attendant que je prépare le souper, dit Léa.

— Oui, répondit sur-le-champ Gabrielle, et même une histoire assez effrayante, qui s'est déroulée il y a quelque temps à Cardinal. Écoute bien : « Il faisait nuit. Tout était paisible. On n'entendait que le froissement des feuilles et le piétinement des bêtes dans les buissons... »

Intriguée et déjà captivée par cette atmosphère envoûtante, Léa fixait Gabrielle, qui marqua un temps d'arrêt afin de ménager son suspens.

— « Une certaine Marie était couchée dans sa chambre, poursuivit-elle sur un ton de plus en plus dramatique. Tout à coup... tout à coup... une voix gutturale s'éleva tout près d'elle, dans le silence. Et cette voix disait... »

Contrefaisant celle d'un homme, Gabrielle lança alors de toute la force de ses poumons :

— « Passe-moi l'pot, j'ai envie ! ».

Et devant l'air ahuri de son auditrice, elle se renversa sur le lit en éclatant de rire.

— Oh, toi, s'écria Léa en se jetant sur elle, furieuse, tu ne perds rien pour attendre! D'abord, ce n'est pas maîtresse d'école que tu aurais dû faire, mais comédienne!

— Attends, j'ai encore de beaux jours devant moi pour le devenir! claironna Gabrielle en pouffant de plus belle.

Les jeunes filles roulèrent l'une sur l'autre et se mirent à se chatouiller en riant et en poussant de grands cris. Au bout d'un moment, l'espiègle raconteuse parvint à échapper à l'emprise musclée de Léa et s'enfuit de la chambre, poursuivie par cette dernière. Toujours en riant, elles dévalèrent l'escalier, se bousculèrent au pied des marches et se pourchassèrent dans tout le rez-de-chaussée, jusqu'à ce que, essoufflées et n'en pouvant plus, elles se laissent choir sur les chaises de la cuisine. Elles revivaient leurs dix ans et c'était une expérience merveilleuse.

Une fois remises de leurs émotions, elles prirent une collation, ce qui leur permit de se livrer à une nouvelle séance de bavardages, puis Léa envoya sa complice donner du grain aux poules et de l'avoine aux chevaux. Dès que Gabrielle entra dans l'écurie, plusieurs d'entre eux hennirent de joie en la reconnaissant. Elle les caressa chacun à leur tour en leur murmurant de gentils mots à l'oreille. Ensuite, elle disputa une partie de balle avec Germain et Rose-Éliane dans la cour et, pour finir, proposa de les aider à faire leurs devoirs.

— D'accord, approuvèrent-ils en étalant leurs livres et leurs cahiers sur la table de la cuisine, mais tsé, Tantine, on a que des A à l'école...

Néanmoins, malgré leurs fanfaronnades, ils ne tardèrent pas à apprécier le privilège que constituait le fait d'avoir une institutrice à domicile.

Le soir venu, Excide et Cléophas rentrèrent à la maison, fourbus mais de joyeuse humeur. On soupa cette fois dans la salle à manger. Afin de faire plaisir à son invitée et de l'honorer, Léa avait déployé tous ses talents de cordon-bleu : elle apporta une soupe de blé d'Inde, des poivrons farcis au bœuf, au riz et aux tomates, et un gâteau aux carottes. Toute la tablée se régala. Puis on passa au salon pour prendre le café. Le chef de famille se cala dans le plus grand fauteuil, bourra sa pipe et coiffa les écouteurs qui étaient reliés au poste de radio.

Quelques minutes plus tard, on le vit les ôter lentement puis les poser sur ses genoux d'un air sombre. Il avait même oublié d'allumer sa pipe.

— Qu'y a-t-il, père ? demanda Éliane, qui venait d'entamer un ouvrage de couture, vous paraissez soucieux tout d'un coup. On dirait qu'on vient d'annoncer la fin du monde.

— Tu crois pas si ben dire, ma fille, soupira-t-il, les sourcils froncés. Y'a deux jours, la bourse de New York s'est effondrée. Pis c'est pas fini. Les annonceurs, y parlent pus que d'ça astheure !

— C'est p't-êt' qu'une crise passagère, remarqua Cléophas, qui jouait à la bataille avec ses cadets, tous trois assis autour du guéridon.

— J'pense pas, mon grand, c'est ben pire. Pis c'est pas bon pour nos affaires, ça, pas bon pantoute. Ça va faire chuter l'prix du blé au Manitoba pis si on peut pus vendre not' production... Maudits spéculateurs ! Maudits riches !

— Allons, mon oncle, le reprit Gabrielle, à qui ces histoires de bourse passaient à mille pieds au-dessus de la tête, ce n'est sans doute pas si grave que vous croyez !

— Pas si grave ? s'indigna ce dernier. Quand l'monde comme nous aut', aux États, est ruiné et en est rendu à s'jeter par les fenêtres des gratte-ciel ?

— Quoi ? s'exclama Léa, toute pâle, en laissant échapper son fil et ses aiguilles. C'est vrai, ça ?

Cléophas lâcha un juron. De son côté, Germain étouffa un cri dans ses mains, tandis que Rose-Éliane, qui était très pieuse, se signait en silence.

— Ça pétochait pas mal dans l'poste, expliqua l'agriculteur, mais c'est ben c'que j'ai entendu. Si l'monde d'la radio s'met à conter des menteries astheure...

— Oncle Excide, je reconnais que ces suicides sont épouvantables, convint Gabrielle, mais ce pessimisme ne vous ressemble pas. Ne vous tourmentez pas à l'avance au sujet de vos récoltes et ne vous gâchez pas la soirée, pour une fois que nous sommes tous réunis. À propos, enchaîna-t-elle d'un petit ton taquin, j'espère que ce n'est pas ma venue qui vous prive du plaisir de vous rendre au bal à Somerset...

— Surtout que vous vous êtes fait la réputation d'un bonhomme pas mal tâteux là-bas! railla Cléophas.

Les quatre adultes s'esclaffèrent.

— Allons, un peu de respect, mon fils! répliqua Excide, faussement bourru. T'en fais pas, ma Gabrielle, j'avais pas prévu d'sortir. Y'a ben quequ' veuves qui apprécient ma compagnie pis qui doivent regretter mes danses à soir, mais pour l'reste, jamais j'serai infidèle à ma Luzina, déclara-t-il en levant les yeux vers le portrait de sa défunte épouse. Pis j'me remarierai jamais non pus. On remplace pas une belle femme comme ça... une femme dépareillée, qu'a jamais eu un mot plus haut que l'aut'.

— C'est vrai, confirma l'institutrice, je n'ai encore jamais rencontré une personne aussi bonne et aussi dévouée. Je pense souvent à elle. Comme à vous, elle me manque tant! Mais qu'est-ce qu'on a tous à être si chagrins ce soir? Tante Luzina aurait été la première à nous houspiller. Vous n'avez pas plutôt envie que je vous raconte une histoire?

— Ah non, coupa Léa, surtout si c'en est une du même genre que celle de cet après-midi!

— Tu me prêtes des intentions que je n'ai pas, protesta sa cousine, dont le regard et le sourire coquins démentaient cette assertion. Très bien, alors je vais vous lire le premier chapitre d'un roman. Que diriez-vous de la version française de *Robinson Crusoé*?

— Oh, moé, j'crois que j'vas monter m'coucher, annonça Excide en bâillant à se décrocher la mâchoire. Tu m'excuseras, ma chouette, mais tu sais que je dois m'lever d'très bonne heure à matin pour la traite.

— Pis moi, j'ai déjà lu ce livre, fit observer Léa.

— Soit, je lirai cet extrait à Germain et à Rose-Éliane avant qu'ils aillent au lit, et nous le discuterons. Cela leur fera pratiquer leur français.

— Entécas, ça nous fait chaud au cœur d't'avoir avec nous aut', ma Gabrielle, l'assura le cultivateur, t'es un vrai rayon d'soleil dans not' maison. Faudra que tu reviennes plus souvent c't'hiver.

— Je vous le promets, oncle Excide, dès que mon travail me le permettra.

— Alors, bonne nuit, tout l'monde! traîne pas trop, Cléophas, va falloir t'lever en même temps qu'moé. Pis les aut', oubliez pas que la messe est à neuf heures. Toé, Gabrielle, t'es not' invitée, tu peux rester dormir aussi longtemps que tu voudras.

— Merci, mon oncle. Bonne nuit! lui souhaita-t-elle en l'embrassant avec affection, et ne vous faites pas trop de mauvais sang. Tout ça finira bien par s'arranger.

* * *

Le lendemain matin, Gabrielle se réveilla fraîche et dispose, le sourire aux lèvres. Un silence absolu régnait dans la maison, les Landry étant déjà partis depuis un bon moment à la messe. Elle s'étira comme un chat et décida de profiter encore quelques instants de la chaleur de l'édredon et du matelas moelleux, qui contrastait avec celui, truffé de trous et de bosses, sur lequel elle dormait à Cardinal. Par la fenêtre, la journée s'annonçait encore claire et ensoleillée, pleine de promenades et de projets à organiser avec ses cousins. Après avoir laissé son regard errer sur les fleurs anciennes du papier peint, elle s'extirpa du lit, fit ses ablutions au bureau de chambre, et descendit prendre le petit-déjeuner que Léa lui avait préparé dans la cuisine : du thé, des œufs et des rôties beurrées.

Elle regagna ensuite l'étage et, jetant un regard paresseux à son lit défait, ouvrit la fenêtre. Ce fut comme si les chants des oiseaux et la frondaison des arbres emplissaient soudain la pièce. Gabrielle aspira de longues bouffées d'air pur. À peine frôlées par la brise, les feuilles ovales et dentelées des trembles, d'un jaune doré, certaines devenues gris jaunâtre à l'approche de l'hiver, frémissaient en égrenant des sons doux et légers. Gabrielle ferma les yeux pour mieux s'en imprégner. C'était le murmure cristallin d'une source, le tintement argentin de la pluie sur le sol, le bruissement de la robe de l'automne, le froissement de centaines, de milliers de feuilles de papier... Elle sentit l'inspiration lui venir alors qu'une vague de chaleur envahissait son corps, enflammait ses joues. Cela faisait longtemps qu'elle n'avait entendu un appel aussi pressant de la nature, peut-être depuis le soir où, réfugiée dans son petit grenier de la rue Deschambault, elle avait accueilli en elle le chant mystérieux des grenouilles.

La solitude de cette matinée lui offrait une occasion inespérée pour écrire. En hâte, elle sortit d'une valise ses cahiers, son encrier, son porte-plume, et s'assit à une petite table qui était placée contre la fenêtre. Là, cachée parmi les feuilles et les branches, elle était comme un oiseau dans son nid, au-dessus du monde, protégée de toute agression, loin de son environnement habituel. Que pouvaient bien avoir à lui dire ces arbres qui avaient été les témoins de son enfance ? Elle tendit l'oreille à la musique de leur feuillage, écouta les mots qui se mettaient à palpiter au rythme de son cœur, entendit les phrases qui commençaient à s'animer dans son esprit. Sa plume courut avec assurance sur le papier. Dans son journal intime, elle relata ses souvenirs estivaux et les événements de la veille aussi aisément que lorsqu'elle rédigeait ses rédactions à l'Académie Saint-Joseph.

Se replongeant ensuite dans son cahier rouge, elle n'eut aucune peine non plus à décrire la seconde partie de la vie de ses grands-parents Landry – leur établissement et leur quotidien à Somerset –, qu'elle cherchait en vain à terminer depuis l'été dernier. À présent qu'elle se trouvait dans la maison de son oncle, entourée des photographies de ses ancêtres, environnée de leurs fantômes, elle avait la sensation, étrange et exaltante, que leur âme lui soufflait l'histoire de leur labeur, de leurs joies et de leurs larmes. Emportée par le flot du rêve et de la création, elle avait oublié tout le reste, les petits tracas de son existence et de son métier, les gens de Cardinal et jusqu'à Jean Frappier.

Lorsqu'elle posa son porte-plume, elle s'imaginait avoir écrit des heures durant. En fait, elle n'avait noirci que quelques pages mais elles étaient d'une facture impeccable, ne comportaient presque pas de ratures, et elle avait enfin achevé son récit. Elle se relut avec satisfaction : aussi ténue fût-elle, il resterait une trace du passage sur terre d'Élie Landry et d'Émilie Jeansonne. Elle leva les yeux vers la cime des arbres : leurs feuilles s'agitèrent à nouveau sur le ciel d'un bleu plus foncé en cette fin d'automne. Derrière le petit bois de trembles s'ouvrait la terre interminable de ses aïeux, que leurs descendants continuaient à pétrir, à modeler, à façonner, sculptant de leurs mains et de leur sueur ce magnifique pays du Manitoba. Cette fois, lui sembla-t-il, c'était la vie de leurs enfants que ses grands-parents la poussaient à écrire sous leur dictée : Excide, Mélina, Calixte, Zénon... Infatigable, elle reprit la plume et entama sans faiblir sa troisième nouvelle. Elle était heureuse, dans le berceau de sa famille, respirant l'odeur à la fois grisante et apaisante de sa terre, de ses racines. Elle était maîtresse d'école. Et elle se sentait de plus en plus devenir écrivaine.

17

Le lundi suivant, Cléophas reconduisit directement Gabrielle à l'école. Comme chaque début de semaine, les enfants étaient un peu maussades et endormis. Les petits avaient peine à se concentrer sur leur livre de lecture, *My First Book of English*, en dépit de la simplicité de sa méthode, fondée sur un apprentissage à la fois syllabique et semi-global, et de ses illustrations gaies et colorées. Les grands rêvassaient sur les problèmes de trains en retard, d'achats à effectuer et de champs à mesurer, qu'ils devaient résoudre dans le cadre de la leçon d'arithmétique et de géométrie. Quant aux cancres, ils bâillaient au fond de la classe, en attendant que l'institutrice eût le dos tourné pour projeter au plafond des boulettes enduites de colle, au moyen d'une sarbacane improvisée.

Gabrielle elle-même, toujours plongée dans l'ambiance sereine et bucolique de son séjour chez l'oncle Excide, avait bien du mal à se remettre au travail. Afin d'en prolonger les délicieux effets, elle décida d'emmener ses élèves en promenade : ce serait l'occasion de faire une leçon et aussi de parler en français avec eux, car à l'extérieur ils revenaient d'instinct à leur langue maternelle, même si elle se teintait parfois d'anglicismes.

Après le dîner, que les écoliers, selon leur habitude, prirent sur place ou au village – pour ceux qui y habitaient ou qui avaient la chance d'être accueillis chez des amis de leurs parents –, toute la classe partit à travers champs dans un joyeux brouhaha.

Un vent frais parcourait la campagne, dont les teintes fanées, rousses, gris-brun et noires, accentuaient l'aspect désolé, et jouait une mélodie monotone dans les arbres dépouillés. Les enfants, filles et garçons séparés, allaient deux par deux ou regroupés par affinités. Les plus âgés, un bâton à la main, marchaient en avant en se donnant des allures de durs : ils se pourchassaient et se donnaient de grandes bourrades dans le dos. Suivaient les élèves d'âge moyen, qui bavardaient à tue-tête ou, au contraire, échangeaient à voix basse leurs secrets, des confidences sur la dernière bêtise qu'ils avaient commise et qui leur avait valu une volée de bois vert de la part d'un de leurs parents. Enfin venait Gabrielle, des grappes de bambins accrochés à elle ou l'entourant de tous côtés. Avec une naïveté confiante, ils lui évoquaient leurs jeux, leurs joies, leurs petits drames, leur quotidien à la ferme, en mettant sur le même plan les événements de l'existence des humains et ceux des animaux domestiques : l'accouchement de leur maman ou d'une femme de leur entourage et le vêlage d'une vache ; les problèmes de santé d'un bébé et la maladie d'un cochon-net ; la mort d'un grand-père ou d'un ancien du village et la disparition d'un vieux chien, gardien de la maison. Tour à tour amusée et attendrie, la maîtresse d'école les écoutait avec la plus grande attention. De temps en temps, elle effectuait une remarque ou posait une question, corrigeait une faute de langage, et sermonnait gentiment ceux qui déblatéraient contre leurs camarades ou qui racontaient des sottises pour se rendre intéressants.

Non loin d'elle, absorbé par son propre univers, Jules Lançon, le futur «maître d'école», cheminait les yeux rivés au sol, en s'accroupissant régulièrement pour ramasser de menues choses.

— Moi, je vais faire un herbier, déclara-t-il.

Il s'était muni d'un petit cahier, entre les pages duquel il glissait avec soin des feuilles, des graminées desséchées, des graines, et même des brins de chaume tout secs.

— C'est une très bonne initiative, fit observer l'enseignante. Je tiens d'ailleurs à ce que vous en confectionniez tous un au printemps prochain, lorsque la verdure et les fleurs seront de retour. En attendant, nous pourrons utiliser le tien lors de la leçon de sciences, Jules : il aidera tes camarades à dessiner différents végétaux.

Le petit Français sourit, le regard étincelant derrière ses lunettes, les joues roses de fierté.

— Et moi, je vais faire une collection de pierres précieuses, annonça Louise Chastel, qui, elle aussi, souhaitait devenir institutrice, et dont le tablier se remplissait peu à peu de petits cailloux couverts de terre. Avec un peu de chance, je finirai bien par trouver un diamant!

Gabrielle sourit à son tour, touchée par tant de certitude enfantine. Tout à coup, elle s'arrêta et tendit l'oreille.

— Chut! Écoutez! dit-elle suffisamment fort pour que le reste de la troupe l'entende.

Tous les enfants se turent et se figèrent en même temps. Un chant aigu, composé de sifflements suivis de trilles et de trémolos variés, avait jailli de nulle part. Il emplissait à lui seul le vaste ciel silencieux, qui paraissait suivre de ses gros yeux de nuages la promenade scolaire.

— Alors, quel est cet oiseau? demanda l'institutrice.

Les réponses les plus fantaisistes fusèrent.

— Ne dites pas n'importe quoi, gronda doucement Gabrielle, je sais que vous le connaissez tous... C'est une alouette des prés.

— Oui, mam'zelle, j'la connais aussi, décréta Amédée Santini, le benjamin de l'école. Il est beau, son chant!

— On dit que l'alouette glouglboute, grisolle, tire-lire et turlute, expliqua l'enseignante.

— Ça veut dire qu'elle fait toutes sortes de musiques, réfléchit tout haut Gisèle Fouasse.

— Oh, vous en savez des choses, mam'zelle ! s'exclama Jean-Baptiste Bélanger en se couvrant aussitôt la bouche de ses mains, comme s'il venait de dire une énormité.

— Heureusement que j'en sais, des choses, rit la demoiselle en renversant la tête, sinon à quoi vous servirait-il d'avoir une maîtresse d'école ? Mais si tu apprends bien tes leçons et que tu lis, tu en sauras un jour autant que moi, peut-être même plus.

— Oh, moé, tous ces mots, ça m'prend la tête ! râla Adhémar Sourisseau, un gros garçon qui avait la réputation d'être paresseux.

Sa réflexion déclencha quelques ricanements parmi ses pairs.

— Eh bien, tu te les sortiras de la tête en les écrivant tout à l'heure au tableau, mon grand, rétorqua la jeune fille. Et, ajouta-t-elle avec une pointe d'humour, si tu fais des fautes, tu me les copieras cinquante fois. Alors là, je te promets qu'ils te prendront vraiment la tête... et qu'ils y resteront.

Ses congénères redoublèrent de rires. Moqueur devenu moqué, le tire-au-flanc rougit jusqu'aux oreilles et se renfrogna.

— Mais mam'zelle, on la voit pas, l'alouette! relança Jean-Baptiste d'une voix déçue.

— Non, pour la bonne raison qu'elle est descendue très vite, en piqué. Regardez, elle s'est posée là-bas, sur cette pierre blanche, au milieu du champ. Observez ses couleurs brunes, les unes sont plus claires, les autres, plus foncées, et sa queue est noire : elle peut se fondre aisément dans la nature et se confondre avec la terre pour déjouer ses prédateurs. Écoutez-la encore : vous ne remarquez pas autre chose ?

— Si, mam'zelle, elle a pus l'même chant qu'avant, répondit un autre garçon.

— C'est juste, Julien. Son chant se modifie suivant le milieu qu'elle fréquente. À présent, il est plus calme, plus bref, il s'arrête, puis repart. L'alouette peut gazouiller ainsi des heures durant.

— On peut aller la voir, mam'zelle ? interrogea le même.

— Non, nous la ferions s'envoler et l'empêcherions de trouver les graines et les vers dont elle a besoin pour se nourrir. Et puis nous serions privés de sa chanson. Poursuivons notre route.

Quelques minutes plus tard, le pas des marcheurs fut ralenti par un attroupement qui s'était formé en tête, autour du trio des élèves difficiles : Édouard Moreau, Adélard Piché et Robert Brisson. Soupçonnant quelque méfait de leur part,

Gabrielle quitta rapidement les bambins pour se diriger vers eux. Réunis en cercle, la tête baissée vers le sol, ils s'affairaient à agrandir un trou dans lequel ils farfouillaient et piochaient à coups de bâton.

— Mais que faites-vous là? questionna la jeune femme d'un ton sévère.

— C'est la cache d'un gopher, mamz'elle, répliqua le premier garçon. On fait rien que d's'amuser avec!

— Cessez immédiatement ce saccage! ordonna l'institutrice, devenue soudain pâle de colère.

Puis, s'adressant à tout le groupe:

— Les enfants, ceci est le terrier d'un gaufre – c'est son nom en français –, un rongeur qui possède des abajoues, c'est-à-dire de grosses joues dans lesquelles il emmagasine des réserves de nourriture. Édouard, Adélard, Robert, vous auriez pu blesser cette pauvre bête. Et vous ne pensez pas à la peur et à l'incompréhension qu'elle ressentira lorsqu'elle trouvera son abri dans cet état! Cela vous plairait-il qu'on vienne détruire ainsi votre maison? J'entends que vous respectiez l'habitat des animaux. Avancez, maintenant!

Refroidis par la méchanceté de leurs camarades, les écoliers, qui partageaient l'indignation de Gabrielle, reprirent la route en silence.

La maîtresse d'école

Au bout de quelques centaines de mètres, un petit bois effeuillé se profila à l'horizon. Quelques sapins le protégeaient en partie du vent.

— On peut y aller, mam'zelle ? demanda Balthazar Blain d'une voix presque suppliante, craignant un refus catégorique de la maîtresse. Pour sûr qu'on va trouver des champignons !

— D'accord, mais vous allez me les montrer avant de les cueillir, et si vous en voyez un rouge avec de petits points blancs, n'y touchez pas ! Les amanites sont toxiques. C'est du poison, précisa la jeune fille à l'intention des petits.

— Oui, mam'zelle ! promirent les enfants d'un même élan.

Ils se ruèrent en criant vers le boisé. Lorsque Gabrielle les rejoignit, ils étaient tous occupés à fouiller dans les feuilles mortes et à inspecter le pied des arbres. Tout à coup, un hurlement de joie retentit dans les fourrés.

— Ça y est, y'en a plein icitte ! Venez voir !

Tout le monde se précipita en poussant des exclamations émerveillées. Triomphant, Balthazar désignait de larges nappes de champignons qui s'étalaient sous des conifères. Ils étaient coiffés d'un petit chapeau couleur rouge cuir, ondulé et cabossé, qui rappelait celui d'un cow-boy.

— Ce sont des russules, commenta Gabrielle en en cueillant une pendant que ses élèves se rassemblaient autour d'elle, et on dit que leur chapeau est concave, c'est-à-dire creux. Dessous se trouvent les lamelles, puis le pied. Elles sont comestibles, par conséquent, vous pouvez en ramasser.

Les enfants ne se le firent pas dire deux fois. Leurs casquettes, leurs tabliers, les poches de leur manteau et leurs bas gonflaient à vue d'œil.

— Faites attention à ne pas les abîmer! recommanda l'enseignante, leur pied est cassant comme de la craie. Ne marchez pas dessus non plus et laissez-en pour les cueilleurs qui viendront après nous!

Le bosquet se révéla un véritable coffre aux trésors. Gabrielle et ses petits disciples dénichèrent aussi des chanterelles, qui formaient des cercles dorés dans de délicats écrins de mousse vert émeraude.

— On dirait des trompettes, fit remarquer Amédée.

— Oui, mais ce n'est pas une raison pour souffler dedans, plaisanta Gabrielle, ce qui fit se tordre de rire les bambins. En revanche, sentez leur agréable parfum de terre et de bois. Vous pouvez également en prendre quelques-unes.

Un peu plus loin, ils tombèrent sur plusieurs bolets solitaires, que tous les enfants reconnurent à leur chapeau orangé, crânement penché sur leur gros pied.

— Ceux-ci ont une forme convexe, mentionna l'ensei-gnante, c'est-à-dire bombée. Je vais en cueillir un pour notre cours de sciences, mais vous n'êtes pas obligés de m'imiter : vous en avez déjà plein les bras, mes pauvres enfants !

La chasse se poursuivit encore par la découverte de touffes entières de minces champignons jaune miel, qui s'étageaient sur des souches et des troncs d'arbres. Leur chapeau cloche à mamelon noir reposait sur un long pied flexible et ils dégageaient une odeur forte et légèrement amère.

— Ce sont des agarics ou armillaires, énonça la maîtresse. Ceux-ci ont un anneau, regardez bien, juste en haut du pied. Je vais en récolter aussi quelques-uns car nous étudierons en détail les différentes parties des champignons, mais je préfère que vous n'y touchiez pas. On peut les manger, certes, mais nous n'allons tout de même pas priver Dame Nature de toutes ses merveilles : ces champignons sont un peu comme ses enfants. Et puis ces spécimens sont fragiles, Dieu seul sait pendant combien de temps ils pousseront encore dans nos prairies.

Captivés par les propos clairs et vivants de Gabrielle, les écoliers firent preuve d'un comportement exemplaire pendant toute la durée de la cueillette et d'un réel désir d'enrichir leurs connaissances et leur vocabulaire. Même les chahuteurs avaient cessé leurs manigances pour suivre la jeune érudite et pour écouter ses exposés. S'ils étaient bien trop orgueilleux pour s'avouer – et surtout pour avouer à leurs compagnons – que la leçon les passionnait, en revanche, ils ne pouvaient masquer la lueur de plaisir et d'intérêt qui s'était allumée dans leur regard. C'était une vraie petite victoire pour la maîtresse d'école.

Tout en répondant à leurs nombreuses questions, celle-ci les laissa jouir encore quelques instants de la liberté exceptionnelle qu'offraient les grands espaces, puis elle frappa dans ses mains :

— Nous allons rentrer à présent, il commence à faire froid et la nuit risque de nous surprendre.

Sur le chemin du retour, les enfants, fatigués mais enchantés de leur après-midi, échangeaient leurs impressions sur l'excursion. Ils se montraient leurs trouvailles, troquaient des champignons, tentaient avec des fous rires de refiler les plus vilains à l'un ou l'autre de leur camarade.

Gabrielle marchait au milieu d'eux en portant Amédée, qui s'était endormi. Agrippés à son manteau noir, des bambins épuisés se laissaient traîner en suçant leur pouce.

— Oh, mam'zelle, c'était vraiment intéressant, la promenade ! lui confia une fillette plus âgée, qui s'était rapprochée d'elle. J'aimerais qu'on en fasse tous les jours des comme ça !

— J'aimerais cela aussi, Hermeline, rétorqua la maîtresse d'école dans un rire, mais tu sais bien que c'est impossible.

Nous devons étudier d'autres matières, qui ne s'enseignent et ne s'apprennent qu'à l'intérieur. Et puis vous vous lasseriez vite d'effectuer toujours les mêmes activités.

— Entécas, y'a ben une chose que j'regrette pas: c'est que Roderick soit pas là... Y aurait gâché not' après-midi.

— Ah oui, Roderick Beauchemin, soupira son interlocutrice. Je l'avais complètement oublié, celui-là...

— Y aurait gardé tous les champignons pour lui, y en aurait même pus eu un seul pour nous aut'!

— Crois-tu? À ce point-là? fit Gabrielle. Mais je ne l'aurais pas laissé faire. Bah, nous voilà à la fin du mois d'octobre, tu ne le verras plus! Tu peux être tranquille maintenant.

Elle-même avait fini par se convaincre que l'adolescent tant redouté ne reviendrait jamais à l'école.

En arrivant en classe, les enfants déposèrent fièrement le fruit de leurs recherches sur leur pupitre et attendirent les consignes de l'enseignante. La mine radieuse, ils avaient les cheveux en bataille, les joues rougies par le grand air, et le sourire aux lèvres.

— Avant de rentrer chez vous, vous allez dessiner ce que cette sortie vous inspire, annonça Gabrielle en commençant à distribuer des feuilles blanches.

Tous les écoliers la regardèrent, interloqués.

— Alors on dessine pas les champignons qui sont sur la carte, au mur ? s'étonna l'aîné des Martel. Les maîtresses d'avant, elles nous donnaient toujours des modèles...

— Non, ce tableau ne servira que pour la leçon de sciences. Ce n'est pas une représentation exacte de la réalité que je vous demande, mais un dessin libre. Bien entendu, vous pouvez dessiner les champignons que vous avez cueillis, mais à votre manière, ou pas de champignons du tout si vous préférez. Ce qui m'intéresse, c'est ce que vous avez vécu aujourd'hui, ce que vous avez retenu de votre journée, ce qui vous a le plus marqué. Bref, vous faites ce que vous voulez. Allez, sortez vos crayons de couleur, un peu d'imagination et au travail !

— Oh, c'est beaucoup mieux d'faire comme ça ! lança Jean-Baptiste. Avant, c'était pas mal ennuyant.

— N'est-ce pas ? Je noterai vos compositions ce soir et vous les rendrai demain.

Les élèves se mirent à la tâche avec enthousiasme. Au début, certains d'entre eux suçotaient leur crayon à mine tout en fixant le plafond ou la maîtresse, mais une fois les idées venues, ils ne levaient plus le nez de leur ouvrage. Gabrielle profita du silence qui régnait pour s'asseoir et se reposer. Une demi-heure plus tard, les écoliers défilèrent à son bureau pour lui remettre leurs travaux. Puis, après l'avoir saluée et même remerciée pour la randonnée, ils enfermèrent leur précieuse collecte dans leur cartable et sortirent.

Lorsque le dernier élève eut quitté les lieux, l'institutrice se plongea dans la contemplation et l'étude de leurs œuvrettes. Au fur et à mesure qu'elle les consultait, son sourire s'élargissait. Le résultat de la leçon dépassait de loin ses espérances. Tous les dessins étaient beaux, sans exception, même les plus naïfs et les plus malhabiles, si beaux et si évocateurs que Gabrielle se promit de passer commande de plusieurs boîtes de punaises au commissaire d'école, monsieur Rochette, à Notre-Dame-de-Lourdes, afin de les exposer dans la classe.

Ici, sous un soleil rayonnant, on distinguait une immense maîtresse d'école aux côtés d'enfants minuscules, tous souriants, les bras levés vers le ciel bleu. Là, la maîtresse en colère, les cheveux dressés sur la tête et la bouche grande ouverte, faisait les yeux noirs à trois garçons nantis d'un bâton et plantés devant un trou au fond duquel dormait un rongeur. Là encore s'envolait une magnifique alouette brune, à laquelle des plumes de toutes les couleurs donnaient des allures d'oiseau de paradis. De son bec s'échappait un flot de notes de musique, elles aussi colorées. Ailleurs, un énorme bolet ou une multitude de russules et d'agarics occupait tout l'espace de la feuille : des amanites y figuraient aussi – quoiqu'on n'en eût croisé aucune au cours de l'expédition –, mais barrées d'une croix rouge, pour bien signifier qu'elles étaient dangereuses. On reconnaissait un peu partout le ciel et ses nuages aux airs de surveillants, les champs, le bois avec ses feuilles mortes éparpillées par le vent. Certains petits artistes s'étaient essayés à l'autoportrait, en se coiffant d'un chapeau de champignon. On voyait également des lutins souffler dans le tube des chanterelles, des fées danser dans la ronde que celles-ci formaient sur la mousse, un gaufre tendre une feuille d'arbre en guise de mouchoir à un autre gaufre qui pleurait, sa cabane détruite à l'arrière-plan, et des dizaines de scènes réalistes ou imaginaires, plus inventives les unes que les autres. Les couleurs, vives, harmonieuses et souvent choisies avec discernement, reflétaient autant la sensibilité des enfants que leur sens de l'observation et leur souci d'embellir la nature. Les A et les B, accompagnés de commentaires élogieux ou encourageants, pleuvaient sous la plume de la maîtresse d'école.

**

La nuit tombait presque lorsque Gabrielle, une expression de profonde satisfaction sur le visage, prit le chemin de son logis avec les bagages qu'elle avait remportés de chez son oncle. Au bout de la grand-rue de Cardinal, le soleil disparaissait sous une épaisse couverture laineuse de nuages rouges. En descendant la route, elle croisa Jean Frappier, qui se rendait au magasin général. Le jeune homme rougit à sa vue. Avant même qu'il n'ouvrît la bouche, son interlocutrice se lança avec volubilité dans la relation de sa villégiature chez les Landry. Tout en l'écoutant et en souriant devant une telle exaltation, Jean, avec la courtoisie qui le caractérisait, prit ses valises et tous deux entrèrent dans la boutique des Chastel.

— Mais qui voilà ? s'exclama la propriétaire, qui se tenait seule derrière son comptoir. Bonsoir, mam'zelle Roy ! Bonsoir, m'sieur Jean ! Puis, en jetant un coup d'œil aux effets de Gabrielle : dites, vous nous quittez pas déjà ?

— Non, rassurez-vous, répondit la jeune femme en riant, je suis revenue seulement ce matin de chez ma parenté.

— Ça paraît qu'le bon air vous a fait du bien, mam'zelle Roy, z'avez une belle p'tite figure. Mais z'êtes toujours aussi maigre. S'cusez mais j'serai ben curieuse d'savoir c'que vous mangez depuis qu' z'êtes pus chez nous aut'...

Gabrielle baissa la tête comme une élève prise en défaut.

— Euh... du pain, des œufs, du lait, parfois les conserves que j'achète chez vous...

— C'est tout ?

— Bien... oui, madame Chastel. À vrai dire... je ne sais pas cuisiner.

— Je m'en doutais un peu. Vot' maman vous a pas appris, p'têt' ?

— Ma mère est un remarquable cordon-bleu mais pour ma part, j'avoue ne m'être jamais intéressée à l'art culinaire.

— J'peux pas vous laisser comme ça, mam'zelle Roy, ç'a pas d'bon sens. J'vas envoyer mes p'tits vous apporter des plats : tenez, demain soir, un poulet avec des pétaques-bananes, ça vous dirait ?

L'ancienne locataire ouvrit les yeux ronds :

— Des pétaques-bananes ? Mais qu'est-ce donc que cela ?

— Ah, vous savez, ces patates, là, avec des formes bizarres. C'est les enfants qui les appellent comme ça.

— Vous êtes trop bonne, madame Chastel, je m'en voudrais de vous donner du travail supplémentaire.

— Bah, pensez don ! Un rôti d'plus ou d'moins au fourneau...

Tout en prenant des nouvelles de monsieur Chastel et d'Émile, Gabrielle fit l'acquisition d'un gros paquet de bonbons, bien décidée à récompenser ses élèves pour leur bonne conduite et leurs beaux dessins. De son côté, Jean effectua quelques emplettes, puis raccompagna l'institutrice chez elle. La nuit s'annonçait venteuse. Le fermier s'attarda longuement sur le seuil de la cabane. Mais il eut été inconvenant de la part de la jeune fille de l'inviter à entrer, surtout à une heure tardive. Bien qu'il parût heureux de son retour, il affichait un visage plus sérieux que d'ordinaire et son sourire se faisait plus rare. Il lui jetait des regards appuyés, puis s'empressait de détourner les yeux, de peur qu'elle n'en

surprît la brillance, les étincelles, qui, désormais, y disputaient leur place aux ombres venues du passé. Nerveux, mal
à l'aise, dansant d'un pied sur l'autre, il semblait attendre
quelque chose d'elle – un mot, un signe, un geste d'affection,
peut-être –, qui ne vint pas, ou avoir un aveu à lui faire, qui
n'osa franchir ses lèvres. Toutefois, emportée par la descrip-
tion de sa sortie avec ses élèves et des surprenants dessins de
ces derniers, Gabrielle ne s'aperçut de rien. Lorsqu'elle fut
lasse de parler, elle serra la main de son voisin en lui donnant
rendez-vous pour leur corvée d'eau et leur promenade
vespérale habituelles. Puis elle se hâta de refermer sa porte
derrière elle.

18

Il arriva. Un beau matin, sans crier gare. Et alors que plus personne ne l'attendait.

Dans la classe, Gabrielle s'apprêtait à expliquer à ses élèves le vocabulaire du conte qu'elle venait de lire, lorsqu'elle s'aperçut que toutes les têtes s'étaient tournées vers les fenêtres. À l'horizon de la plaine, un point sombre avait surgi, qui grossit à vue d'œil et se révéla bientôt un cheval noir, qui galopait à fond de train en direction de l'école. Un cavalier coiffé d'un large chapeau de cow-boy faisait harmonieusement corps avec lui, rappelant l'un de ces centaures de la mythologie grecque dont l'enseignante avait un jour raconté l'histoire. Il talonnait sa monture et, pour en forcer encore l'allure, faisait claquer ses rênes, réunies dans une seule main, de chaque côté de son encolure.

Le cheval pénétra en trombe dans le pré qui servait de lieu de récréation. Son maître en sauta lestement, le dessella et l'attacha par son licol à un bout d'enclos. Puis, après l'avoir gratifié d'une vigoureuse caresse, il se dirigea à grandes enjambées vers la porte de la classe, un cartable en vieux cuir sous le bras.

À l'intérieur, un murmure de crainte s'éleva dans les rangs :

— C'est Roderick... Roderick Beauchemin...

À ce nom, l'institutrice sentit sa gorge se nouer et la panique la gagner. Mais elle n'en laissa rien paraître et se redressa de toute sa petite taille, les mains croisées sous sa poitrine, bien résolue à faire face à celui que l'on décrivait comme le pire voyou de la région.

— Ne vous laissez pas distraire, dit-elle aux écoliers, je vais accueillir votre camarade et nous allons commencer la leçon de français.

La porte s'ouvrit et le nouveau venu entra, son couvre-chef à la main. Il remonta l'allée qui séparait les deux rangées de pupitres, ses éperons sonnant à chaque pas, jusqu'à l'estrade devant laquelle se tenait la maîtresse, menue silhouette vêtue de noir. Depuis quelque temps, elle avait décidé de ne plus porter de queue de cheval et le soleil, à travers les vitres, allumait l'incendie de sa chevelure blond roux, qui flottait à nouveau sur ses épaules.

L'arrivant se campa devant elle dans sa veste à franges ouverte sur une chemise à carreaux, son pantalon large, retenu par une ceinture cloutée qui lui tombait sur les hanches, et ses bottes pointues à talons, ornées de dessins mexicains.

Ce n'était pas un adolescent. C'était un homme.

Grand, les épaules larges, découplé en athlète, il dépassait l'institutrice de plus de deux têtes. Sans être beau, son visage était racé et arborait une expression sauvage, que tempéraient un regard profond et un léger sourire. Il avait les cheveux d'un noir de jais, parsemé de tons roux, le teint cuivré par ses longues chevauchées en plein air, et un soupçon de moustache brune ombrait ses lèvres charnues. Ses vêtements exhalaient une odeur enivrante de cuir, de cheval, d'arbres et de broussailles mêlés. Il apportait avec lui le parfum des plaines, le parfum de toute la nature.

La maîtresse d'école et son futur élève se jaugèrent du regard.

Ce fut le coup de foudre.

Un orage violent, qui les prit tous deux par surprise, les laissant aussi émerveillés que décontenancés, au point qu'ils demeurèrent figés quelques instants qui leur parurent durer une éternité ; une tempête brûlante, qui balaya le temps, la classe tout autour d'eux, l'espace démesuré qui s'étendait par les fenêtres, et les emporta à mille pieds au-dessus de la terre.

Gabrielle rougit, pâlit, puis rougit à nouveau, son sang s'accéléra dans ses veines et son cœur se mit à battre si fort que sa poitrine en devint douloureuse. C'était la première fois de sa vie qu'elle ressentait une émotion aussi intense.

Les deux jeunes gens ne pouvaient détacher leur regard l'un de l'autre. Les yeux bleu vert de l'institutrice, d'une clarté étincelante, étaient soudés à ceux du jeune inconnu, qui étaient d'un noir ardent, constellé de reflets dorés. C'était comme s'ils partageaient un langage muet, qui leur était étranger et en même temps connu d'eux seuls.

La première, cependant, Gabrielle s'arracha à cet aimant et, afin de masquer son trouble, grimpa sur l'estrade : elle rejoignit son bureau, fronçant les sourcils, puis fit semblant de fouiller dans ses papiers.

Heureusement, aucun élève ne s'était rendu compte du bouleversement qui s'était emparé d'elle.

— Tu es en retard, Roderick, lâcha-t-elle, en s'efforçant de prendre une voix grondeuse.

Elle lui parut sonner faux dans le silence qui s'était instauré dans la classe depuis l'arrivée du cavalier. Pétrifiés, les écoliers anticipaient avec inquiétude la suite des événements.

— Scu... cusez-moi, mam'zelle, répondit le cow-boy, qui, à la stupéfaction générale, se mit à bafouiller, je... je ne voulais pas. Un... un de nos chevaux s'était échappé du corral et... et il a fallu que je le rattrape.

Il avait une voix chaude et mature, qui contrastait avec celle des autres garçons de l'école, flûtées ou en pleine mue.

Gabrielle remarqua aussi qu'il s'exprimait dans un français qui, sans être académique, était d'une qualité supérieure à celle de la plupart de ses élèves.

— Tâche d'être à l'heure la prochaine fois, poursuivit-elle. Va t'asseoir, ta place t'attend depuis longtemps.

Dépité par le ton sec de son interlocutrice, le jeune homme baissa la tête, tourna les talons et alla s'installer près de Balthazar, au fond de la pièce, lequel s'empressa de ranger les affaires qu'il avait étalées sur deux pupitres. Il se cala tant bien que mal contre le dossier de sa chaise en étendant ses longues jambes sous celle de son voisin de devant, et défit son cartable.

— Bon, reprit Gabrielle en faisant un effort suprême pour se ressaisir, je vais résumer le conte pour votre camarade, puis nous en étudierons les termes principaux.

Intitulée *Le rocher du diable*, cette histoire remontant au XVIIe siècle racontait les démêlés survenus entre deux couples de Saint-Lazare, au Québec : ils se disputaient une élévation de roches située sur les limites de leur propriété respective, pour la possession d'un carré de bleuets qui poussaient en abondance à proximité d'elle. Un dimanche, au lieu d'aller à la messe, madame Thérien se rendit en catimini dans le pré, afin de grappiller le plus de baies possible. Mais sa voisine, madame Pouliquin, ayant eu la même idée, les deux femmes se retrouvèrent sur le terrain et commencèrent à s'insulter.

S'étant mutuellement souhaité d'aller au diable, ce dernier apparut soudain et leur demanda pourquoi elles n'étaient pas à l'église : terrorisées, elles comprirent qu'elles étaient perdues. Le diable brûla tout le champ de bleuets de son souffle soufré, se mit à gratter furieusement le rocher pour l'ouvrir, et disparut sous terre en emportant les deux commères. Le monticule se referma derrière lui et, en revenant de la messe, les hommes, devant les marques qui entaillaient les pierres, ne purent que pleurer la perte de leurs épouses. Aujourd'hui, on peut encore voir les griffures laissées par le diable sur le rocher de Saint-Lazare.

Les écoliers avaient réagi à cette légende par des exclamations d'effroi et fait preuve d'une curiosité d'abord timorée, puis insatiable, quant à l'antre du diable recouvert par le mystérieux roc. Roderick, lui, se contenta d'esquisser un sourire amusé.

La leçon de français débuta :

— Voyons, qui peut me dire ce que signifie le verbe « grappiller » ? demanda la maîtresse.

Aussitôt, une main se leva au fond de la classe. C'était celle de Roderick. Osant à peine lui lancer un coup d'œil, Gabrielle l'encouragea d'un signe du menton.

— Cela veut dire cueillir çà et là, répondit-il en rougissant sous son hâle, ramasser un peu au hasard, par exemple des fruits, comme dans le conte.

— C'est bien. Et qui peut me donner maintenant un ou plusieurs synonymes de «diable»?

Le même leva à nouveau la main et sans attendre l'approbation de l'institutrice, se lança dans une énumération foisonnante:

— Le Démon, le Malin, Satan, Lucifer... peut-être l'Esprit infernal...

— C'est bien, très bien même. Mais il faut laisser aussi la parole aux autres.

Néanmoins, Roderick continua à se manifester pendant toute la durée du cours de français, puis celui de géographie. Non seulement il s'exprimait couramment en anglais mais connaissait sur le bout des doigts la carte du Canada et celle des différents pays qui furent étudiés ce jour-là.

— Eh bien, finit par soupirer l'enseignante, je crois que je n'ai pas grand-chose à t'apprendre! D'où te vient toute cette science?

— Je lis beaucoup le soir, après le travail, mam'zelle. Mon père fait venir des livres à la maison pour moi et j'ai aussi des encyclopédies.

— Ah? s'étonna Gabrielle, qui commençait à se faire des Beauchemin une opinion bien différente de celle des Cardinalais. Au fait, quel âge as-tu, Roderick?

— Seize ans, mam'zelle... bientôt dix-sept.

En son for intérieur, elle nota avec un soulagement qui la confondit qu'il avait trois ans de plus que ses grands élèves et qu'il paraissait plus vieux que son âge.

— Ne crains-tu pas de t'ennuyer à l'école?

— Non, je tiens à y venir, même si ce ne sont que pour des révisions. D'ailleurs, j'ai encore beaucoup de choses à apprendre. Vous avez la réputation d'être une grande savante au pays, mam'zelle.

La jeune femme rougit sous le compliment.

— Je peux rester, n'est-ce pas? reprit-il d'une voix teintée d'angoisse.

— Oui, bien sûr, à condition que tu sois sage.

— Oh, mais je serai sage comme une image! assura-t-il, piqué au vif.

Tendue et contractée depuis le commencement de ses cours, Gabrielle demeurait sur le qui-vive. À tout moment, elle s'attendait à ce que son nouvel élève fît un commentaire ou un esclandre qui la ridiculiserait devant toute la classe ou qu'il provoquât quelque chahut incontrôlable. Mais rien de tout cela ne se produisit. Bien au contraire, il buvait littéralement ses paroles, obéissait à la moindre de ses demandes et se concentrait avec le plus grand sérieux sur son travail.

À l'heure de la récréation, tandis que les enfants s'adonnaient à leurs jeux quotidiens, il se rendit à une pompe voisine et en rapporta un seau d'eau fraîche pour son cheval, qui donnait des signes évidents d'impatience : il secouait la tête en tous sens et tirait sur son licou en hennissant. Surmontant la timidité qui l'envahissait à la perspective d'une conversation avec le jeune cavalier, Gabrielle s'avança vers lui, la tête brumeuse, les jambes en coton.

— Ton cheval est magnifique, comment s'appelle-t-il ?

— Black Star, mam'zelle, répondit-il avec fierté. Mais restez un peu à distance de lui, il est jeune et imprévisible, et il n'aime pas beaucoup les étrangers. Surtout, ne vous mettez pas derrière lui, il pourrait ruer.

— Oh, mais je n'ai pas peur de lui ! objecta-t-elle. Et elle tendit son poing vers l'animal. Celui-ci le renifla prudemment et, une fois rassuré, se laissa caresser avec docilité. Puis, au grand ahurissement de son propriétaire, il posa sa grosse tête sur l'épaule de la jeune fille en soufflant bruyamment par les naseaux.

— Ah ben ça, mam'zelle, vous avez le tour avec les bêtes, vous ! s'exclama-t-il. C'est la première fois qu'il fait ça. Je crois que vous allez bien vous entendre tous les deux.

— Je l'espère et... avec toi aussi, Roderick, s'enhardit l'enseignante. Il faut que nous parlions tous les deux... au sujet de l'école...

Le garçon se planta alors bien droit sur ses jambes et la fixa au fond des yeux :

— Je sais bien ce que vous allez me dire, mam'zelle. Je sais ce que les gens racontent sur moi dans le village. Faut pas les écouter, ils sont jaloux de mon père, parce que c'est un homme riche. C'est vrai, quand j'étais plus jeune, j'ai fait des bêtises, mais pas pires que celles des autres gars du coin, je vous assure. Seulement, on ne m'a jamais rien passé parce que j'étais le fils au père Beauchemin, comme ils disent. Pis vous savez, ce n'est pas facile pour un homme d'élever tout seul un garçon : j'avoue que j'en ai un peu profité.

— Rassure-toi, je n'ai pas pour habitude d'écouter les on-dit, rétorqua Gabrielle, qui tentait tant bien que mal de soutenir son regard, mais à force d'en entendre... Par exemple, ces institutrices qui sont parties à cause de toi...

Les reflets d'or, dans les yeux de Roderick, se muèrent en étincelles.

— Elles ne sont jamais parties à cause de moi, mam'zelle, protesta-t-il, je vous le promets ! La première, elle a marié un gars de Notre-Dame-de-Lourdes, pis elle a choisi de rester à la maison pour élever ses enfants. La seconde, elle est tombée malade, et la dernière, celle qui était ici avant vous, elle voulait enseigner en ville.

— C'est effectivement ce que m'a dit mon supérieur. Mais... cette histoire de couteau avec lequel tu l'aurais menacée ?

— Mam'zelle, croyez-le ou non, je n'ai jamais menacé personne ! s'écria-t-il cette fois d'un ton offensé. Pis ce n'était pas un couteau, juste mon canif : je le porte toujours dans ma poche d'en arrière, il me sert tout le temps au travail. Un jour, je l'ai sorti en classe pour affûter mon crayon à mine, car je n'avais pas de taille-crayons. Comme cette maîtresse-là se mettait souvent en colère, elle a foncé sur moi : j'ai été surpris et j'ai fait un mouvement brusque, c'est tout. Mais elle s'est imaginé que je lui voulais du mal et est allée se plaindre dans le village. À partir de ce moment-là, elle ne m'a mis que des mauvaises notes : alors j'ai quitté la classe en milieu d'année parce que je trouvais ça vraiment injuste. Cette affaire-là, c'est sans bon sens, j'étais quand même pas pour tuer ma maîtresse d'école !

— Oui, c'est certainement un malentendu, mais sais-tu que les petits racontent que tu tortures et tues des animaux ?

— Voyons, mam'zelle, la reprit-il encore d'un air grave, vous êtes mieux placée que moi pour savoir que les enfants ont une imagination débordante ! Comme tout le monde ici, je chasse et je pêche, mais je n'ai jamais fait de mal à une bête. Regardez Black Star, vous trouvez qu'il a l'air malheureux ? Chez nous, nous élevons des troupeaux entiers de chevaux : vous croyez que mon père me laisserait les maltraiter ? Ce serait la faillite de notre ferme. Pis nous avons des chiens de chasse, des chats, j'ai même un petit Yorkshire de compagnie : il s'appelle Piccolo, c'est le grand-père des Santini qui me l'a donné, et je l'aime beaucoup. Tout ça, ce sont des racontars, ce sont des parents qui mettent des choses de même dans la tête de leurs enfants. Vous pouvez avoir confiance en moi, mam'zelle. Pis, ajouta-t-il à voix basse comme s'il craignait que les élèves ne l'entendissent, vous savez bien que je ne vous ferai jamais de mal...

— Je te crois, Roderick, souffla Gabrielle, dont le cœur, à ces mots, s'était mis à battre la chamade, merci de ta franchise.

Sur le point de rougir à nouveau, elle se détourna et frappa dans ses mains pour signifier aux écoliers la fin de la pause.

* * *

Le reste de la journée, elle s'arrangea pour ignorer Roderick, en dépit de la participation active qu'il démontrait à l'oral. Sans cesse, elle sentait ses yeux noirs posés sur elle la brûler comme la braise. Lorsque, par mégarde, son regard croisait le sien, elle s'empressait de le détourner, tandis que le jeune homme baissait la tête en rougissant, affectant de s'absorber dans ses livres et ses cahiers.

De leur côté, les enfants avaient longuement observé leur aîné sans rien dire. Puis, s'étant rendu compte qu'il n'était pas aussi effrayant qu'on le leur faisait croire et qu'il ne manifestait aucune hostilité à leur égard, ils avaient fini par l'accepter. Les plus grands s'avéraient même admiratifs et envieux de son savoir.

À la fin de la classe, Roderick glissa un coup d'œil rapide vers la maîtresse en portant deux doigts à son chapeau pour la saluer et sortit sans se retourner. Cette dernière regarda rêveusement les petites silhouettes du cavalier et de son cheval s'amenuiser dans la plaine sans limites, jusqu'à ne plus former qu'un point insignifiant, puis se fondre dans le brouillard qui s'élevait de l'horizon. En rassemblant ses affaires, elle réalisa que ses mains tremblaient : des papiers, des objets lui échappèrent, et elle se traita à haute voix d'idiote.

Elle ne parvenait pas à comprendre ce qui lui arrivait. En descendant la rue principale de Cardinal, elle avait l'impression de marcher sur un nuage. Insensible au vent froid et piquant qui transperçait son manteau, elle se sentait légère, presque aérienne. Elle avait envie de rire, de chanter ou de siffloter sans savoir pourquoi, et balançait son petit cartable avec désinvolture. De brusques rougeurs couvraient ses joues, des vagues de chaleur fluaient et refluaient en elle, et la minute suivante, elle se mettait à frissonner. Tout, autour d'elle, avait changé. Le village baignait dans une atmosphère de songe irréel et, en même temps, il avait pris des teintes et des contours plus précis. Tout lui paraissait plus beau, plus grand, plus brillant : le ciel, chargé de la première fournée de nuages nocturnes ; les arbres nus, à l'autre extrémité de la route, qui allumaient à de pâles étoiles leurs chandeliers de branches ; les maisons, dans les fenêtres desquelles les dernières lueurs du crépuscule se mêlaient à l'éclat des lampes. Même les passants attardés qu'elle croisa avaient tous l'air de sourire. Il lui semblait découvrir le monde pour la première fois.

Jean l'ayant rejointe comme chaque soir à sa cabane, elle l'accompagna pour une courte promenade. Mais c'est à peine si elle prêta attention à ses propos et elle ne jeta qu'un coup d'œil distrait au soleil qui se couchait entre ses nuages de satin rouge. Devant son regard absent, qui demeurait fixé sur l'horizon, le jeune homme ne put s'empêcher de lui faire une réflexion :

— Vous avez l'air songeuse, Gabrielle. Est-ce ma compagnie qui vous déplaît ou vous ennuie ?

— Non, bien sûr que non. J'ai eu un problème avec une élève aujourd'hui, mentit-elle.

— Rien de grave, j'espère ?

— Non, je vais aller rencontrer ses parents et tout devrait très vite s'arranger.

Une fois rentrée chez elle, elle ne put rien avaler à l'heure du souper. Elle avait la gorge et l'estomac noués. Elle se jeta sur son lit et, les mains croisées derrière la nuque, contempla pendant un quart d'heure le plafond craquelé, sans réussir à mettre de l'ordre dans ses idées. Elle expédia la préparation de ses leçons, auxquelles elle apportait d'ordinaire tant de soin, mais s'abstint d'ouvrir son journal intime, de crainte de s'abandonner à des confidences sur ses émois de la journée. Persuadée que l'écriture de l'histoire de la seconde génération des Landry serait un excellent dérivatif à ses rêveries stériles, elle se plongea dans son cahier rouge. Mais elle fut incapable de se concentrer. Entre la page blanche et elle s'interposait constamment le visage de Roderick Beauchemin. Elle tenta à maintes reprises de chasser son image de son esprit. En vain. Elle revivait avec délectation la scène de son arrivée dans la classe, le matin même, et les sensations qu'elle avait éprouvées lorsque tous deux avaient échangé leur premier regard.

Par la fenêtre de sa chambre, les grands yeux mordorés du jeune homme semblaient l'appeler du plus profond de la nuit. Elle s'imaginait le voir surgir de la plaine, monté sur le fougueux Black Star, ses cheveux flottant dans le vent, elle entendait sa voix grave et profonde résonner dans le silence, et laissait son sourire l'envelopper dans un voile de douceur.

«Est-ce donc cela... l'amour?» finit-elle par s'avouer en soupirant. Ce sentiment qui vous retournait la tête, le cœur et les sens, bousculait vos certitudes, vos projets, et faisait de l'objet de vos rêves une permanente obsession? Mais elle n'allait tout de même pas tomber amoureuse d'un de ses élèves! Cette pensée la remplit de honte, tant elle avait un sens aigu du devoir, et à cœur la mission qui lui incombait auprès de ceux qu'on lui avait confiés. En plus, non seulement ce garçon était plus jeune qu'elle mais elle ne le connaissait pas. Et si jamais il lui avait menti au sujet de son comportement vis-à-vis des maîtresses d'école précédentes? Il traînait une réputation détestable et, jusque avant peu, elle avait prêté à moitié foi aux rumeurs qui couraient sur lui, le présentant comme son futur ennemi. Mais non, il n'avait pas menti: lorsqu'il avait pris sa propre défense, à la récréation, son regard était direct, le timbre de sa voix, ferme et assuré, et la sincérité avec laquelle il s'était offusqué de certaines de ses remarques levait tout doute à son endroit.

À présent, que devait-elle faire? Qu'allait-il se passer? Où cet emballement la mènerait-elle? Elle l'ignorait, mais l'avenir n'avait pas encore vraiment d'importance. Et lui, de son côté, que faisait-il en ce moment? Pensait-il aussi à elle? Elle avait eu l'intuition qu'il ressentait la même chose qu'elle à son égard... En fait, elle devait s'être bercée d'illusions et, probablement aussi, avoir mal interprété les dernières paroles qu'il avait prononcées dans la cour de l'école. Elle avait trop d'imagination, voilà tout.

Toutefois, elle ne put s'empêcher de sourire. Qu'en était-il de la promesse qu'elle s'était faite de fuir les garçons et de ne tomber amoureuse d'aucun ? Toutes ses belles résolutions s'étaient évanouies d'un seul tenant en fumée. Elle comprit qu'au fond d'elle-même elle n'avait pas la force de lutter contre l'éclosion de cette passion. Et le pire, c'était qu'elle n'avait aucune envie de la combattre.

Elle se coucha, en proie à la fièvre, ne sachant plus si elle avait chaud ou bien froid. Elle se tourna, se retourna dans son lit, et dormit d'un sommeil agité, entrecoupé de rêves de Roderick et d'étranges cauchemars. Au réveil, sa première pensée fut pour lui : son cœur se mit à cogner avec plus de violence encore que la veille, son sang, à palpiter dans ses veines à un rythme précipité. Cette sensation toute neuve était à la fois cuisante et merveilleusement délicieuse.

Elle fit bonne figure à Jean qui, comme chaque jour, était au rendez-vous pour transporter ses seaux : elle s'efforça de paraître naturelle et conversa avec lui comme à l'accoutumée, ce qui rassura le jeune homme. De retour à sa cabane, constatant qu'elle n'avait pas recouvré l'appétit, elle renonça à prendre son petit-déjeuner. Elle s'apprêta un peu plus que d'habitude, se contempla avec satisfaction dans le fragment de miroir qui était accroché au mur de la cuisine, ajouta un ruban à ses cheveux – mais finalement l'ôta: ce signe ostensible risquerait d'attirer l'attention de son entourage et Roderick pourrait penser qu'elle s'en était parée pour lui plaire et pour chercher à le séduire. Cette dernière perspective ne la choquait plus vraiment, mais même si elle s'était résolue à accepter les sentiments qu'elle éprouvait, elle entendait bien les cacher à tous, y compris à l'intéressé lui-même, pour ne les vivre que dans le secret de son cœur et de son imagination. Comment pourrait-il en être autrement? Elle en connaissait si peu sur ce sujet, sinon par le biais des rares livres de littérature qui avaient échappé à la censure du clergé manitobain.

La maîtresse d'école se mit en route, heureuse et souriante dans le petit matin tout rose. Comme lui, elle naissait au monde, à la vie. Mais elle, en plus, à l'amour. Elle n'avait qu'une seule hâte: revoir Roderick.

19

Depuis deux heures, ils chevauchaient côte à côte dans la plaine.

Perdus chacun dans leurs pensées, le regard fixé au loin, un sourire aux lèvres, ils savouraient en silence l'ivresse de se retrouver ensemble et de posséder pour eux seuls cet espace sans fin qui étanchait leur soif de nature et de liberté.

Le vent leur fouettait le visage et courait dans les herbes sèches qui crépitaient autour d'eux tel un feu de prairie. La campagne n'allait pas tarder à troquer sa robe de renard gris contre une fourrure de lièvre blanc.

Ils distinguèrent enfin une haute et longue barre noire qui ondulait à l'horizon. Elle formait comme un trait d'union entre le désert bleu du ciel et celui, gris brun, de la terre. Gabrielle et Roderick piquèrent des deux et lancèrent leur monture à plein galop : ils atteignaient leur destination.

**

La veille du congé de fin de semaine, Gabrielle, une fois ses cours terminés, avait décidé de rester à l'école pour corriger les devoirs de ses élèves. Alors que ces derniers venaient de partir et qu'elle était déjà plongée dans leurs cahiers, un bruit de pas remontant l'allée centrale de la classe se fit entendre. Elle releva la tête de son pupitre. Timide et hésitant, Roderick Beauchemin se tenait devant elle, tête nue, triturant nerveusement son chapeau dans ses mains. Les jours précédents, l'institutrice avait dû faire de grands efforts sur elle-même pour enseigner comme si de rien n'était et pour éviter de croiser le regard du jeune homme : elle craignait tant que celui-ci ne la troublât ou que le sien propre ne trahît l'affection et l'intérêt qu'elle lui portait ! S'estimant négligé, le vieil écolier en avait d'ailleurs conçu une vive déception.

En découvrant son favori tout près d'elle, Gabrielle sentit son cœur battre à grands coups. Afin de réprimer la rougeur qui lui montait aux joues, elle se composa un air sévère.

— Eh bien, Roderick, qu'y a-t-il ? laissa-t-elle tomber froidement.

Décontenancé, le garçon baissa la tête, puis la releva avec détermination en se raclant la gorge :

— Mam'zelle, je voulais vous demander... est-ce que vous savez monter à cheval ?

— Euh... oui, répondit l'enseignante, les sourcils arqués de surprise, j'ai appris chez mon oncle, à Somerset. Enfin, je me débrouille, je ne suis pas une cavalière émérite comme toi. Mais... pourquoi cette question ?

— Ben, mam'zelle, expliqua le cow-boy en continuant de malmener son couvre-chef, comme l'hiver va s'en venir très vite maintenant, j'ai l'intention d'aller faire une grande *ride* demain. Alors, j'avais pensé que peut-être... Il s'interrompit pour avaler sa salive puis se jeta à l'eau : peut-être vous accepteriez de m'accompagner jusqu'aux monts de Babcock...

— Les monts de Babcock ? s'exclama Gabrielle, le visage soudain illuminé de plaisir. Oh, mais cela fait des années que je n'y suis pas allée ! J'adore cet endroit depuis que je suis toute petite ! J'ai tellement de bons souvenirs de mes promenades et de mes jeux là-bas !

Roderick n'en croyait pas ses oreilles.

— Alors, c'est oui, mam'zelle ? interrogea-t-il, les yeux implorants, vous voulez bien venir avec moi ?

— Oui, bien sûr que oui ! s'écria la jeune fille sans une hésitation. Mais s'assombrissant tout d'un coup : l'inconvénient, c'est que je n'ai pas de cheval et il m'est difficile d'aller en chercher un chez mon oncle.

— Vous en faites pas pour ça, mam'zelle ! la rassura Roderick avec un grand sourire, je vais vous amener notre petite jument Ombrure. En plus, elle est très gentille et très docile : vous n'aurez aucune misère avec elle, vous la mènerez comme vous voudrez.

Rendez-vous fut donc pris pour le lendemain samedi, après le dîner. Tout à la joie de revoir un coin de pays qu'elle chérissait en particulier, Gabrielle ne songea pas un seul instant aux implications que cette sortie pourrait entraîner.

Roderick arriva en début d'après-midi à la cabane de l'institutrice. Attachée à Black Star par une longe, une jument blanche dont l'échine était traversée par une rayure cendrée suivait sagement son congénère et son maître. Gabrielle les attendait devant sa porte. Elle avait remplacé ses vêtements noirs – qui lui seyaient par ailleurs à merveille en lui conférant l'apparence d'une maîtresse d'école du XIXe siècle – par une veste de sport, un chemisier à carreaux rehaussé d'un petit foulard de cou rouge, un pantalon et des bottes d'équitation.

Les deux jeunes gens se saluèrent avec timidité. Roderick descendit de cheval et, pendant qu'il détachait Ombrure, Gabrielle fit connaissance avec sa monture : elle tendit la main vers elle pour la familiariser avec son odeur et l'animal répondit à ses caresses par un doux regard. Puis le garçon l'aida à se mettre en selle. Elle trouva vite son confort et fit décrire quelques cercles à la jument. Constatant que celle-ci obéissait à ses moindres injonctions, elle se déclara prête pour le départ.

Roderick en tête, les deux cavaliers s'engagèrent au pas dans un sentier. En quittant Cardinal, ils aperçurent Jean qui, au milieu d'un pâturage enclos, retournait un tas de foin avec sa fourche sous les naseaux gourmands de Brouillard. Au bruit des sabots des chevaux, le Français releva la tête. Reconnaissant Gabrielle, il demeura quelques instants ébahi. Puis, sans répondre au salut qu'elle lui adressa, il reprit sa tâche après avoir jeté un regard noir à Roderick. Imputant l'attitude de son ami aux préjugés qu'à l'instar de nombreux villageois il devait nourrir à l'égard du jeune éleveur, elle haussa les épaules et les chevaucheurs poursuivirent leur chemin.

Tout autour d'eux, le soleil et le vent se disputaient un territoire sauvage et incommensurable. Comme appelés irrésistiblement par l'espace, l'institutrice et son élève mirent leurs bêtes au trot, puis au galop. Bientôt, ils se lancèrent dans une course effrénée en riant à gorge déployée. Chaque fois que Gabrielle prenait de l'avance et s'efforçait de la maintenir, Black Star la rattrapait à la vitesse d'un bolide. Ventre à terre, il la dépassait dans un tourbillon d'herbes et de poussière, Roderick fouettant l'arrière-train de sa monture avec son chapeau en poussant des « hi ha ! » qui la faisaient redoubler de rire. L'adresse et la fougue impétueuse du cow-boy ne faisaient qu'accroître son attirance pour lui.

Ils chevauchèrent pendant ce qui leur parut une éternité. Le ciel et la plaine avaient aboli le temps, des nuages blancs, effilochés par le vent, semblaient épouser le rythme de leur randonnée. Sans un mot, sans même oser se regarder l'un l'autre, ils avançaient botte à botte, goûtant mutuellement leur présence, loin de la pesanteur de la civilisation, en communion totale avec la nature. Ils croisèrent quelques fermes perdues parmi des terres endormies ou des boisés dénudés, traversèrent des étendues de prairie, les unes, claires, les autres plus foncées, franchirent des ruisseaux dont la transparence révélait une myriade de cailloux de couleur. De temps en temps, Roderick mettait pied à terre, ramassait une jolie feuille, une graminée, une plume, qu'il offrait avec des attentions chevaleresques à son accompagnatrice. Rougissante, la jeune fille les glissait dans la sacoche qui était accrochée à sa selle.

Au fur et à mesure de leur progression, la plaine devint plus désertique. Brusquement, le terrain s'abaissa en pente raide et ils se retrouvèrent au fond d'une large fosse caillouteuse, couleur safran. Roderick sauta de cheval et désigna çà et là plusieurs pierres du même jaune, incrustées de squelettes de poissons.

— Ce sont les vestiges du lac Agassiz qui recouvrait le Manitoba il y a une dizaine de milliers d'années, déclara-t-il. J'ai plusieurs fossiles comme ceux-là chez nous.

— Tu connais cela aussi! s'exclama l'enseignante, édifiée. Dis-moi, Roderick, as-tu l'intention de passer l'examen de fin d'école primaire au mois de juin prochain?

— Bien sûr, mam'zelle! lança-t-il en se remettant d'un bond en selle. Jusqu'ici, je n'ai pas pu m'y présenter à cause

du travail à la ferme et de l'attitude de la maîtresse précédente, qui m'a obligé à quitter la classe avant terme, mais je
tiens à le préparer avec vous.

— Tu l'obtiendras sans peine, enfin, à condition de travailler quand même. Mais après? Tu pourrais envisager de
devenir maître d'école...

L'élève secoua négativement la tête.

— Oh, non, mam'zelle, je n'ai pas votre patience avec les
enfants!

— Cela s'acquiert, il y a une École normale de garçons à
Winnipeg, et qui manque d'étudiants canadiens-français. Tu
sais, moi non plus, je n'avais pas beaucoup d'expérience avec
les petits, au départ. Mais mes professeurs m'ont enseigné
des méthodes, et surtout, on apprend par soi-même une fois
qu'on se retrouve en classe.

— Non, mam'zelle, pour rien au monde je ne voudrais
aller m'enfermer dans une école là-bas! Je ne supporte pas la
ville, je n'accompagne même plus mon père quand il y va. J'ai
l'impression d'étouffer : tout ce bruit, ces gens, ces voitures,
ces affreux bâtiments avec leurs fumées noires qui cachent le
ciel, ces odeurs écœurantes...

Gabrielle laissa échapper un petit rire.

— Je suis né et j'ai grandi ici, poursuivit-il, ces espaces font partie de moi et je ne pourrais pas vivre sans eux. Je serais malheureux en ville, jamais je ne m'y habituerais. Puis j'aime trop ma liberté.

En prononçant ces mots, il avait tourné vers son interlocutrice un regard qui reflétait, comme dans un rêve, toute l'immensité du paysage.

— Aussi, ajouta-t-il, j'ai promis à mon père de rester sur la ferme et de la reprendre un jour.

— Je comprends, dit Gabrielle, un peu déçue, en baissant la tête. Donc tu ne bougeras jamais de ta vie?

— Non, jamais. Je suis désolé, mam'zelle.

— Ne sois pas désolé, Roderick, reste toujours celui que tu es. Si tu es heureux ici, pourquoi t'en aller, en effet, et te retrouver mêlé à des luttes scolaires mesquines entre Canadiens français et Canadiens anglais?

— Pis vous, mam'zelle?

— Moi aussi, je suis très attachée au Manitoba, mais j'aimerais quand même voyager un jour... peut-être aller travailler au Québec ou à l'étranger, pourquoi pas? Je rêve de visiter d'autres pays, de rencontrer de nouvelles gens, de connaître des cultures différentes. Le voyage offre une autre forme de liberté et...

Un cri jaillit spontanément de la poitrine du jeune homme :

— Oh, alors on ne se verra plus, mam'zelle, si vous partez !

— Bien sûr que si, Roderick ! s'empressa de répondre l'amoureuse, incapable d'imaginer pareille séparation. Si tant est qu'ils se réalisent, ces périples seront pour dans très, très longtemps. Et puis il me reste plus de huit mois à enseigner ici : on aura encore bien l'occasion de faire de belles promenades comme celles-ci.

L'homme-enfant sourit, rassuré cette fois. Les cavaliers grimpèrent l'autre versant de la crevasse et reprirent leur route en silence. Tout au bout de la plaine se profilait la ligne sombre des monts de Babcock.

**

Comme ils étaient étranges, ces monts isolés au beau milieu de la plaine ! À la fois accueillants et hostiles, galbés et hérissés de roches, foisonnants d'arbres gris noir et de pierres claires, ils s'intégraient autant qu'ils détonnaient dans le vaste pays plat. Gabrielle s'étonna toutefois de les trouver moins hauts et moins impressionnants que dans ses souvenirs.

Ils déroulaient devant les visiteurs un immense tapis de broussailles. Black Star à l'avant, les chevaux s'y frayèrent un chemin avant d'entamer avec précaution leur ascension. Bien que celle-ci ne prît guère plus de trente minutes aux jeunes gens, elle leur parut durer des heures, tant ils étaient

333

attentifs à observer et à apprécier les plus infimes beautés qui s'offraient à leurs yeux : ici, un rocher découpé comme un profil d'Indien ; là, un buisson coiffant une pierre d'une longue chevelure inextricable ; là encore, un nid posé au creux des bras d'un arbre. La piste, abrupte et irrégulière, était balayée tour à tour par les ombres tourmentées des rochers et par les rayons du soleil qui s'insinuaient par des trouées de branches.

Les grimpeurs passèrent entre des pitons rocheux, contournèrent des amas de pierres plates empilées les unes sur les autres, se faufilèrent dans des passages étroits, gardés par des arbustes enchevêtrés. De temps en temps, le sabot d'un cheval heurtait un caillou, provoquant le long de la pente une avalanche de pierrailles qui résonnait dans le silence. Un sourire se dessinait sur les lèvres de Gabrielle lorsqu'elle reconnaissait les endroits qu'elle avait jadis explorés avec ses cousins et ses petits camarades. Elle ne résista pas à l'envie de partager quelques scènes du passé à son compagnon de route :

— Tiens, ici, on avait joué à cache-cache... là, on avait creusé pour essayer de trouver le trésor du Roi de la montagne... et là, on avait organisé une bataille entre pirates et aventuriers pour prendre possession de ce rocher pointu.

— Vous connaissant, j'imagine que vous étiez encore plus espiègle qu'aujourd'hui, fit remarquer Roderick en se retournant à demi sur sa selle pour lui sourire. Vous savez, vous êtes restée très enfant, mam'zelle... plus que moi, d'ailleurs !

La jeune fille éclata de rire.

Les rochers accidentés, les fourrés emmêlés et les arbres tordus s'espacèrent peu à peu et les cavaliers, émergeant à la lumière, atteignirent enfin une sorte de plateau couvert d'une herbe rase et drue. Un vent incisif et pénétrant les y accueillit en sifflant à leurs oreilles. Au-dessus d'eux, des oiseaux croassaient dans le ciel, qui semblait s'être élevé encore plus haut depuis le début de leur montée. Du promontoire, ils dominaient l'ample plaine, solitaire et inhabitée, qui se prolongeait de l'autre côté des monts. C'était un moutonnement tentaculaire de terres noires durcies par les premiers froids, qui formaient des vagues, ondoyaient, gondolaient, roulaient jusqu'à perte d'horizon. Des frimas scintillaient dans la nuit comme des étoiles blanches.

Immobiles l'un à côté de l'autre, leurs chevaux tête contre tête, Gabrielle et Roderick contemplèrent longtemps sans échanger une parole ce décor à la fois féérique et désolé. Mais tandis que Gabrielle rêvait de galoper au-delà de la plaine qui, en repoussant sans cesse ses limites, attisait son désir de découvertes et d'aventures, Roderick, lui, se contentait d'embrasser du regard le pays qui lui était familier et avec lequel il ne faisait qu'un.

Émerveillé devant cette campagne majestueuse et monotone, il se tourna vers la maîtresse d'école. Ils se perdirent alors longuement dans les yeux l'un de l'autre, les prunelles pers de Gabrielle accrochées à celles, mouchetées d'étoiles d'or, de Roderick. Unis dans une tendre et ardente complicité mais encore incapables de l'exprimer par des mots, encore moins par des gestes, heureux, apaisés, en parfaite harmonie avec les éléments, ils souriaient de tant de bonheur offert à leur cœur et à leurs sens.

Une fois qu'ils furent pleinement rassasiés du panorama et que le vent fut devenu intenable, ils redescendirent la petite montagne et galopèrent d'une traite en direction de Cardinal. Ils n'effectuèrent qu'une seule halte pour abreuver leur monture dans un ruisseau. Lorsqu'ils parvinrent au village, il faisait déjà nuit. Avant son coucher, le soleil avait déployé un faisceau de rayons, les nuages aux teintes multicolores réunis autour de lui comme des courtisans. Au claquement des sabots des chevaux qui descendaient au pas la grand-rue déserte, des lampes s'éteignirent en hâte derrière les fenêtres, des visages indiscrets se collèrent aux vitres et des yeux fureteurs se rétrécirent pour mieux épier les arrivants.

Madame Chastel rentrait de l'épicerie chez elle. En identifiant les jeunes gens dans l'ombre, elle eut une réaction aussi impulsive que maladroite :

— Bonsoir, mam'zelle Roy ! Ah ben vous qui m'aviez dit pas vouloir d'cavaliers, v'là qu' z'en avez deux à présent ! Enfin, z'avez raison d'en profiter et d'vous amuser. Des cavaliers... Eh ben justement, c'est l'cas d'le dire ! Et satisfaite de son jeu de mots balourd, elle partit d'un grand rire.

Rougissant de confusion dans la noirceur, Gabrielle hocha la tête sans répondre. Quant à Roderick, il affecta de ne rien avoir entendu. Mais quelques maisons plus loin, il s'adressa à la maîtresse d'école d'un ton sec, où perçait une pointe de jalousie :

— Qu'est-ce qu'elle a voulu dire, mam'zelle ? Est-ce que par hasard vous auriez un... un fiancé au pays ?

— Non, pas du tout ! se récria la jeune femme, piquée au vif. Elle faisait sans doute allusion à Jean Frappier, mon voisin, qui est devenu un ami : nous l'avons aperçu en partant tout à l'heure.

Et enchaînant d'une voix tremblante :

— Roderick, je voulais te dire que... que j'ai passé une journée délicieuse en ta compagnie. Je t'en remercie beaucoup.

— Moi aussi, mam'zelle, rétorqua l'intéressé avec des intonations un peu rudes destinées à masquer son émotion. C'était merveilleux. Je crois bien que... que je n'ai jamais passé une aussi belle journée de ma vie.

Gabrielle se réjouit au plus profond d'elle-même de cette réponse qui lui mit les joues et le cœur en feu, oubliant que, demain, le village entier bruisserait de commérages.

20

L'hiver survint d'autant plus brutalement qu'il était en retard, faisant se succéder des pluies glacées et de violentes rafales de vent. Un matin de la deuxième semaine de novembre, Gabrielle se réveilla au milieu d'une mer de blancheur. La cabane était engoncée dans la poudreuse jusqu'aux fenêtres. Durant toute la nuit, le vent avait valsé avec la neige au son de son propre orchestre, la soulevant de terre, la faisant tournoyer dans sa robe de flocons, l'emportant jusqu'au ciel dans un tourbillon spiralé.

La tempête perdurait encore. Sur les arbres que la jeune fille apercevait par la vitre de sa chambre, des flocons chassés par la tourmente sautillaient de branche en branche comme des oiseaux de neige. Grelottante, elle se hâta d'allumer le chauffeur, un petit poêle portatif rond, fonctionnant au pétrole, que lui avaient prêté les Chastel et qui ne diffusait qu'une maigre chaleur. Évidemment, il ne serait plus question, désormais, d'aller chercher de l'eau à la pompe. Avec peine, elle brisa à grands coups de bûche le rideau de gel qui bouchait la porte, en déblaya le seuil et remplit un seau de neige, qu'elle fit fondre sur le fourneau pour se laver et préparer son petit-déjeuner. Elle envoya au diable ses vêtements noirs et enfila une tenue chaude et confortable : un chandail, un ensemble de ski composé d'une veste molletonnée à capuchon, d'un pantalon fuseau et de gros bas de laine, une paire de mitaines et des bottines fourrées. Ainsi parée à affronter l'extérieur, elle se mit en route pour l'école.

Enfonçant jusqu'à mi-cuisse, elle dut se frayer un chemin entre deux bancs de neige, qui ne tarderait pas à être comblé. Elle avançait pliée en deux, cinglée par la bourrasque, luttant contre la poudrerie qui lui jetait comme des poignées de sable au visage. Elle tentait tant bien que mal de se protéger avec son cartable. Entre les grains, elle discernait à peine le village, environné de dunes blanches, noyé dans la grisaille. Quelques commerçants et des résidents, emmitouflés dans d'épaisses pelisses, s'affairaient à désobstruer la route et les trottoirs de bois.

Il lui fallut près d'une demi-heure pour atteindre l'école, qui semblait avoir coiffé un immense bonnet de lutin pointu. Dans l'emmêlement du vent et de la neige, elle distingua quelques taches de couleur éparses sur le perron. Un groupe d'écoliers enveloppés dans leurs manteaux et leurs écharpes l'attendait en tapant des pieds l'un contre l'autre ou sur les marches pour essayer de se réchauffer. Dès qu'elle ouvrit la porte de la classe, l'un des grands se rua à l'intérieur pour allumer le poêle. Les cheveux trempés de sueur sous sa capuche, les pommettes rougies et la goutte au nez, elle ôta sa veste, ses gants, et étendit les mains au-dessus du chauffage, aussitôt imitée par ses élèves. Lorsqu'il eut répandu sa douce chaleur dans la pièce, chacun s'en trouva revigoré.

Les enfants qui étaient présents habitaient tous le village, par conséquent ils n'avaient pas eu trop de difficulté pour se déplacer. La salle étant quasi vide, ils avaient l'impression d'avoir la maîtresse pour eux tout seuls et se réjouissaient de ce rapprochement inespéré et privilégié avec elle. De fait, elle ne tarda pas à venir s'asseoir parmi eux sur un pupitre pour leur raconter une histoire. Au cours de la matinée, d'autres écoliers – dont les petits Comte, Santini et Martel – rejoignirent la classe. Bravant courageusement le blizzard, certains d'entre eux avaient parcouru près de deux milles à pied après avoir attendu que les chemins fussent praticables. Frigorifiés, les joues brûlées, ils claquaient tellement des dents qu'ils étaient incapables de parler et leurs habits avaient raidi sur eux. Gabrielle s'empressa de les faire ressortir sur le seuil pour frotter leurs mains gelées avec de la neige, puis les amena près du poêle et les aida à retirer leur manteau, qu'elle étala à proximité. D'autres élèves encore arrivèrent avec leur père en *cutter*, un petit traîneau bas et très rapide, tiré par un cheval. Malgré la besogne qui les attendait à la ferme, les hommes promirent à l'enseignante de revenir chercher leur progéniture de bonne heure l'après-midi et de reconduire chez eux les enfants qui résidaient au loin.

Cependant, la moitié de la classe demeurait vacante. Même Roderick manquait à l'appel.

— Quelqu'un a-t-il des nouvelles de lui ?, s'enquit Gabrielle, inquiète.

— Oui, moé, répondit Balthazar. Une partie d'la grange s'est effondrée c'te nuit chez eux, à cause du vent pis du poids d'la neige. Ça va lui prendre quequ'jours pour la réparer avec son père, mais faites-vous en pas, mam'zelle, y reviendra. Pis j'lui apporterai les leçons pis les devoirs, comme ça, y prendra pas d'retard.

— Ah ? Très bien, je te remercie, mon grand, rétorqua-t-elle, déçue d'être privée du plaisir de passer cette première vraie journée d'hiver auprès de son chevalier servant.

Il y avait trop d'absents pour qu'elle pût envisager de poursuivre son programme. Elle donna donc quelques exercices de calcul faciles à effectuer et procéda à des révisions dans diverses matières. Néanmoins, elle eut peine à capter l'attention des participants. Sans cesse, ils regardaient la neige virevolter par les fenêtres, en regrettant de ne pouvoir aller s'amuser dehors, ou contemplaient les ciselures en forme de feuilles, de fleurs, d'animaux ou de créatures fantastiques dont le givre avait orné les vitres ; et ils se montraient davantage intéressés à commenter le climat qu'à s'absorber dans leur travail. Désespérant de les voir se concentrer sur un sujet sérieux, elle leur suggéra alors de dessiner la tempête, les fantasmagories que leur inspiraient les frises de gel sur les carreaux, ou bien leur maison enfouie sous la neige.

La nuit tomba très tôt et il fallut allumer la lampe à pétrole. Assise à son bureau, Gabrielle se laissait mollement bercer par la tiédeur ambiante et le ronronnement régulier du poêle. Au-dehors, le vent faisait le tour de l'école, sifflait, hurlait, trépignait et secouait la porte, tel un élève indésirable et tapageur. Il élevait des bancs de neige de plus en plus hauts autour de la bâtisse, comme s'il voulait y emprisonner ceux qui lui en interdisaient l'entrée. Cette dernière apparaissait de plus en plus isolée, coupée du village et de toute civilisation.

Tout engourdie, la maîtresse d'école s'abandonnait à une délicieuse sensation de bien-être, en se remémorant les lieux où elle s'était sentie en harmonie profonde avec son entourage et avec elle-même : la maison de sa mère – à qui elle pensait moins souvent depuis qu'elle était amoureuse –, son petit grenier à la lucarne, le cercle de vieux chênes, au bout de la rue Deschambault, auxquels elle se confiait encore l'année dernière, le bois de trembles de l'oncle Excide, la chambre de madame Sainte-Onge, son ancienne logeuse à Marchand, la cuisine des Chastel, les monts de Babcock, où elle avait galopé en compagnie de Roderick... En même temps, elle resongeait aux rêves de voyages qu'elle avait confiés à ce dernier. Aujourd'hui, bien à l'abri des ouragans de tous ordres dans son cocon de neige et de chaleur, elle ne ressentait plus aucune envie de partir. Le jeune cow-boy avait sans doute raison : on était bien au Manitoba. En quel endroit de la planète serait-elle plus heureuse que dans cette paisible petite école de campagne, à la fois seule au cœur de l'infinie plaine immaculée, et unie avec ses chères têtes blondes dans le partage du savoir et de la création ?

* * *

Quelques jours plus tard, la tempête prit le large. Un nouveau pays était né : c'était comme si le vent avait lavé, brossé, décapé le paysage, qui semblait reluire. Entre le bleu du ciel et le blanc de la terre, les silhouettes des maisons, des humains, des animaux et des arbres se découpaient avec une netteté presque étincelante. Le soleil faisait scintiller des milliers de gouttelettes sur la neige, où perçaient çà et là des herbes sèches et granuleuses qui grésillaient sous la bise.

À l'école, la maîtresse avait bien du mal à contenir l'excitation des enfants. Le temps, froid mais sec, s'avérait plus propice au jeu qu'à l'étude. Les récréations se prolongèrent, Gabrielle n'ayant pas le courage d'interrompre les batailles de boules de neige, les parties de hockey, qui se disputaient avec des bâtons ou des bouts de bois sur une patinoire grossiè-rement aménagée, et la construction des bonshommes plus hauts que leurs statuaires.

Un matin, elle arriva avec un énorme paquet emballé dans du papier marron : vite déchiré, celui-ci révéla une luge aux yeux extasiés des élèves. Elle s'était saignée aux quatre veines pour leur offrir ce cadeau, mais les cris de joie que sa vue leur arracha la dédommagèrent amplement de sa dépense. Toute la classe se rendit en chœur à la butte qui s'élevait à proximité de l'école, face à la plaine. Les écoliers s'empressèrent de confectionner une glissoire le long d'une pente en enlevant la neige de surface et en écrasant les grumeaux qu'elle formait sur le sol, puis on hissa le traîneau jusqu'au sommet. Afin de les familiariser avec son fonctionnement, Gabrielle prit place à l'arrière, les cordes de commande en mains, et invita cinq d'entre eux à s'asseoir devant elle. Poussé par Balthazar, le véhicule amorça sa descente, prit de la vitesse, tandis que les enfants hurlaient de plaisir et de frayeur, et s'arrêta soudain au beau milieu de la pente. Une boule de chair et de vêtements mêlés en fut brutalement éjectée, retomba dans la neige et se mit à débouler de plus en plus vite jusqu'au pied de la crête. C'était Adhémar Sourisseau, le gros paresseux de la classe, dont le poids avait freiné puis bloqué la glissade. Tout le monde éclata de rire, tandis que l'institutrice se précipitait en bas pour vérifier s'il n'avait rien de cassé car il ne bougeait plus. Les gamins s'attroupèrent autour d'elle. Quelle ne fut pas leur stupéfaction en découvrant que le lourdaud s'était tout bonnement endormi! Les rires redoublèrent de plus belle, devinrent inextinguibles, se communiquèrent à Gabrielle.

— Mam'zelle, c'est la première fois que j'vois une boule de neige aussi grosse que ça! railla Gaston Cardinal, le petit-fils du fondateur du village, qui était réputé pour son espièglerie.

— Ne... ne... vous moquez pas de votre... de votre... camarade! hoqueta l'enseignante.

Elle riait tant que les larmes coulaient sur ses joues et qu'elle fut obligée de détourner la tête pour cacher son hilarité.

On réveilla l'infortuné qui, tout hébété, se frotta les yeux en demandant ce qui lui était arrivé. Honteux et furieux de sa mésaventure, il s'en fut bouder un bon moment dans son coin.

Dix fois, vingt fois, trente fois peut-être, les enfants, encadrés par les grands, descendirent et remontèrent la collinette avec la luge, jusqu'à ce qu'ils n'en pussent plus et que la nuit, à son tour, eût dévalé la rampe du ciel.

***

Depuis que la neige avait fait son apparition, Gabrielle avait pris l'habitude de raccompagner les jeunes Lançon jusqu'à chez eux après la classe. Ses petits voisins aimaient d'autant plus effectuer cette marche en sa compagnie qu'elle les gavait de bonbons tout au long du trajet. Ce soir-là, ce fut Jean qui les accueillit à la porte de la ferme. Comme il s'apprêtait à souper à la table de ses employeurs, il s'était lavé, avait coiffé ses cheveux avec une raie sur le côté, et soigneusement repassé sa chemise blanche, tout comme son gilet et son pantalon noirs.

— Bonsoir, Gabrielle, dit-il d'une voix grave qui dénonçait une certaine émotivité. Il faut que je vous parle.

Il était nerveux, fébrile, et elle remarqua ses traits tirés. Ses yeux paraissaient plus grands et plus sombres qu'à l'ordinaire.

— Cela ne peut-il attendre? demanda la jeune fille, qui, épuisée par sa journée passée au grand air, avait hâte de retrouver son chez-soi. Il fait un peu froid pour se promener et le vent ne va pas tarder de nouveau à se lever.

— Non, c'est important, rétorqua-t-il d'un ton qui n'admettait pas de réplique.

Il enfila une veste noire qui était suspendue à une patère du couloir, chaussa ses bottes et attrapa un fanal posé sur un guéridon.

— Suivez-moi dans la grange, nous y serons tranquilles pour parler.

Intriguée, Gabrielle s'engagea derrière lui dans un sentier creusé entre deux bancs de neige. Le paysage blanc et noir était figé dans un silence que perturba à peine le bruit de leurs pas, amorti par la croûte de gel. Dans la nuit, le bâtiment rond et trapu formait une masse obscure entre des arbres dont les longs doigts décharnés et crochus se détachaient sur la lune gibbeuse.

Jean ouvrit la porte, qui grinça sur ses gonds, et alluma la lanterne, qu'il accrocha à un clou. Sa clarté dévoila un tracteur, divers engins agricoles, une vieille charrette, ainsi que tout un bric-à-brac d'instruments, d'outils, de meubles, et des matériels usagés. Un reste de grain et de foin tapissait le sol de terre battue. Des bouquets d'ail, d'oignons et de plantes séchées étaient appendus à des ficelles qui traversaient la remise dans sa largeur. Une odeur de graisse à moteur, de bois et de légumes envahissait les lieux.

Afin de se mettre à l'aise, Gabrielle ôta son anorak et ses gants, qu'elle posa avec son cartable sur un petit banc poussiéreux. Puis elle se tourna vers le fermier, les bras croisés :

— Je vous écoute, Jean.

Celui-ci se mit à marcher fiévreusement de long en large. Le premier moment de gêne passé, il dit :

— Voilà, avec l'argent que j'ai épargné lors de mon travail à la banque, en France puis à Montréal, et avec celui que je gagne ici, j'ai l'intention d'acquérir une terre d'ici deux ou trois ans et d'y bâtir ma propre ferme. Bien sûr, au début, mon exploitation sera plutôt modeste, mais je compte bien l'étendre avec le temps. En d'autres termes, j'ai décidé de m'établir définitivement ici.

— Eh bien, c'est une merveilleuse nouvelle, Jean ! s'exclama la jeune fille, les yeux pétillants de joie. J'en suis très heureuse pour vous et je vous souhaite tout le succès possible.

— Merci, répondit-il dans un sourire tendu.

Il s'arrêta, s'adossa un instant contre la porte, puis se dirigea vers elle.

— Alors, j'ai pensé que peut-être... reprit-il d'un air embarrassé, en baissant la tête.

— Que peut-être... ? interrogea Gabrielle, les sourcils en accent circonflexe.

Il releva la tête, hésita, cherchant ses mots :

— Eh bien, que peut-être vous et moi... enfin, au cours de nos rencontres et de nos promenades, j'ai appris à apprécier votre caractère et vos qualités. Vous êtes instruite, contrairement aux femmes de ce village, je le suis aussi, et nous partageons un même goût pour la vie calme au contact de la nature. Je crois que nous pourrions nous entendre tous les deux...

Un silence tomba entre eux. Au-dehors, le vent s'était mis à mugir, faisant craquer les murs en planches de la grange comme les jointures d'un vieux navire.

— Et puis vous êtes belle, si belle... murmura Jean, profondément troublé, en s'approchant de plus en plus de la jeune femme.

Soudain, comme s'il n'en pouvait plus d'attendre, il l'attira contre lui, la prit dans ses bras, et plongea son regard noir, traversé d'éclairs, dans le sien.

— Je vous aime, Gabrielle, avoua-t-il dans un souffle. Voulez-vous m'épouser?

La respiration coupée, le cœur palpitant de surprise, elle détourna la tête au moment où la bouche du garçon allait se poser sur la sienne et se dégagea brutalement de son étreinte.

— Mais que faites-vous? s'écria-t-elle en le repoussant, vous êtes fou!

Elle avait reculé de plusieurs pas et fixait le jeune homme avec des yeux grands comme des soucoupes, mêlés d'ahurissement et d'effroi. La bourrasque secouait la bâtisse de plus en plus fort, menaçant d'ouvrir la porte et les fenêtres.

— Oui, fou de vous! rétorqua Jean. Pardonnez mon impatience, ajouta-t-il en passant la main dans ses cheveux, un peu honteux, j'ai été trop direct. Vous acceptez quand même, n'est-ce pas?

La voix de Gabrielle se brisa:

— Mais... mais... vous me connaissez depuis à peine un mois et demi!

— Cela n'a aucune importance. Je vous connais suffisamment pour savoir que je veux passer le reste de ma vie avec vous! Et puis nous apprendrons à nous connaître davantage lorsque nous serons mariés. Nous pourrons nous installer dans une des dépendances des Lançon. Évidemment, je l'aménagerai en attendant que nous ayons notre propre maison.

L'institutrice avala péniblement sa salive et poursuivit sans le regarder:

— Je... je reconnais que vous êtes un homme attirant, très séduisant même...

— Eh bien alors, quel est le problème?

— Je sais aussi que vous avez beaucoup de qualités, mais je croyais que nous étions simplement des amis et...

— Et...? L'amitié n'est-elle pas le fondement essentiel de l'amour et du mariage?

Gabrielle sentait qu'elle recouvrait peu à peu son aplomb. Elle fit de nouveau face à son interlocuteur :

— Je ne m'attendais pas du tout à une telle proposition. Je ne me sens pas prête à me marier : je suis bien trop jeune, je ne suis pas une très bonne femme d'intérieur, et puis d'abord, j'ai mon métier !

— Mais vous pourriez très bien continuer à le pratiquer ici ou dans un village voisin !

— Oui, peut-être, mais lorsque nous aurions des enfants ? Je n'ai peut-être pas une grande expérience de la vie, mais ce que je sais, c'est que je ne veux en aucun cas mener celle d'une femme de colon ! J'ai assez vu ma mère... avec ses neuf enfants... elle a eu tant de misère ! Regardez madame Chastel, qui en aura bientôt huit !... Et toutes les autres, avec cette marmaille si nombreuse qu'elles ne parviennent jamais au bout de leur peine !

— Mais nous ne serions pas obligés d'avoir autant d'enfants ! Quatre ou cinq suffiraient.

— Quatre ou cinq ? Mais c'est bien trop !

— Alors seulement deux ou trois, si vous préférez.

— Mais je ne suis même pas sûre de vouloir un jour des enfants !

— Comment? Vous n'aimez pas les enfants, vous, une institutrice?

— Ce n'est pas ce que j'ai voulu dire. Ce que vous ignorez, c'est que j'ai des projets d'écriture.

— C'est très beau, Gabrielle, et rien ne vous empêchera de les mener à bien.

— En plus de mon travail et de l'éducation d'éventuels enfants? Vous plaisantez. Ce serait impossible. Et puis je ne suis pas certaine non plus de vouloir vivre toujours ici: j'aimerais aussi voyager, je ne connais rien du monde. Je suis désolée, je ne peux pas vous épouser... aussi, par honnêteté... ne serait-ce que parce que...

— Parce que...?

— Eh bien, parce que... je ne vous aime pas, Jean! cria-t-elle enfin, excédée.

À ces mots, le colon pâlit affreusement. Il recula à son tour comme s'il venait d'encaisser un coup de poing dans la poitrine, baissa la tête, mais la releva avec promptitude. Cette fois, ses yeux flambaient de colère.

— Oui, j'aurais dû m'en douter, siffla-t-il entre ses dents, presque avec cynisme, puisqu'il y a ce jeune blanc-bec, ce voyou, ce... Roderick Beauchemin.

Il avait fait à dessein claquer ce nom aux oreilles de Gabrielle. Cette dernière rougit violemment.

— Je vous interdis de parler de cette façon d'un de mes meilleurs élèves! protesta-t-elle.

— Un élève... parlons-en! Je vous ai vu l'autre jour partir à cheval toute la journée avec lui... Vous l'aimez?

— Je n'ai pas pour habitude de confier les secrets de mon cœur à quiconque.

— Vous ne m'avez pas répondu : vous l'aimez?

— Cela ne vous regarde pas! Rien ne vous autorise à me donner des ordres ni à essayer de me soutirer des confidences!

Le ton de la dispute montait de plus en plus. En se mélangeant, la buée de leur haleine commençait à givrer dans l'atmosphère.

— Lui aussi, c'est un cul-terreux, persifla Jean, et pourtant... vous l'aimez, je le sens bien. Avouons qu'il y a chez vous une surprenante contradiction. En tout cas, n'attendez rien de ce gamin, car en plus, c'est un gamin, il ne vous apportera jamais rien... mis à part des ennuis fâcheux!

— Il n'y a absolument rien entre ce jeune homme et moi, si c'est ce que vous tenez tant à savoir!

— C'est ce que vous dites!

À présent, la tempête faisait un tel vacarme qu'on avait l'impression qu'elle s'était engouffrée dans la grange. La température avait dû chuter à -15 °C, mais emportés par leurs émotions, Jean et Gabrielle ne ressentaient aucun des effets de ce froid implacable.

— Alors, vous refusez ma demande, c'est votre dernier mot ? réitéra le Français, aussi mortifié que véhément.

— Oui, je la refuse, et ce sera mon dernier mot ! le cingla l'institutrice.

Et, tentant néanmoins de se radoucir :

— Je suis navrée, Jean...

— Très bien ! fit-il, au comble du courroux. Il est inutile de vous excuser. Alors, bonne chance, mademoiselle Roy !

Il tourna les talons, empoigna la lanterne, et après avoir jeté un dernier regard à Gabrielle, où se mêlaient à la fois la rancœur, la jalousie et le désespoir, il sortit dans un tourbillon de neige et de vent en claquant furieusement la porte. Ses pas décrurent avec rapidité dans le sentier.

L'enseignante se retrouva seule, plongée dans la noirceur. Elle tremblait de rage, d'humiliation et de mal-être. En même temps, elle s'en voulait d'avoir blessé le jeune homme. Elle avait conscience qu'elle venait de perdre un ami auquel elle tenait, et qui demeurerait sans doute longtemps sans lui adresser la parole : peut-être même ne le ferait-il plus jamais. Un moment, elle fut sur le point de courir après lui pour s'excuser de son animosité, mais se ravisa. Il était bien trop remonté contre elle pour l'écouter. Mieux valait le laisser se calmer et digérer son échec dans son coin. Cette querelle, qu'elle jugeait désormais stupide, l'avait exténuée : la discussion aurait pu se dérouler d'une manière plus accommodante. Cependant, elle ne pouvait tout de même pas feindre un sentiment qu'elle n'éprouvait pas, accepter un mariage qu'elle réprouvait et qu'elle risquerait de regretter toute sa vie !

Elle rassembla ses esprits, ses affaires, prit une profonde inspiration et quitta la remise. La nuit était aussi noire que les yeux de Jean et les paupières ombreuses des nuages s'étaient closes sur la lune. Seule brillait dans le cœur de la maîtresse d'école, intacte et lumineuse, l'étoile de l'amour qu'elle portait à Roderick.

Devant et autour d'elle, elle ne distinguait rien d'autre qu'un rideau impénétrable de flocons. Fouettée par le vent, criblée de mille piqûres de gel, elle avança pas à pas en s'enfonçant jusqu'aux genoux dans la neige, guidée par son seul instinct, qui lui permit fort heureusement de retrouver la route de sa cabane. Enfin, elle parvint à destination. Après s'être réchauffée à son piètre foyer, elle se coucha sans manger, le cœur gros, et dormit d'un sommeil agité, peuplé de soupirs et de cauchemars.

Au petit matin, Jean Frappier avait disparu de Cardinal.

Remerciements

Je tiens à exprimer toute ma gratitude à mon éditeur, Daniel Bertrand, pour m'avoir soufflé l'idée de cet ouvrage et fait renouer avec le genre romanesque. Ma reconnaissance va également à sa sympathique équipe, dévouée, créative et surtout patiente.

J'adresse mes chaleureux remerciements aux personnes qui m'ont accompagnée durant ma rédaction : Jean-Louis Morgan, journaliste, romancier, biographe et traducteur québécois ; Françoise Boixière, poète, romancière et éditrice bretonne ; Richard Poirier, compositeur québécois.

Un grand merci à ceux qui ont généreusement partagé leurs connaissances : Gil Gianone, historien-conférencier français ; Lucie Morisset, professeure titulaire au département d'Études urbaines et touristiques de l'Université du Québec à Montréal (UQÀM) ; Gilles Lesage, directeur du Centre du Patrimoine de Saint-Boniface et animateur du site Internet éponyme ; les directeurs des sites du musée de Saint-Joseph et de The Historical Society of Manitoba, à Winnipeg ; Brian Hogue, mycologue manitobain ; Sylvie Toussaint-Cavan et Barthélemy Toussaint (France).

Si Gabrielle Roy a effectivement possédé un cahier rouge dans sa jeunesse, il doit aussi à celui de mon amie Monik Loarer, professeure de lettres en Bretagne et à Madagascar, qui y écrivait des saynètes de théâtre pour ses camarades de classe.

L'œuvre romanesque et historique de feu mon amie Marie-Anna Roy (Adèle ; 1895-1998), demeure une source d'inspiration constante. J'espère que, du haut de son ciel, elle ne m'en voudra pas trop d'avoir évoqué l'époque difficile de sa mésentente avec sa sœur Gabrielle Roy.

Enfin, je présente mes excuses aux habitants du charmant village de Marchand (Manitoba), qui, pour les besoins de la forme romanesque, s'est transformé en une commune si peu avenante.

MARQUIS

Québec, Canada